万人が使える科学の新定義

世界観転換のすすめ

荒木弘文 著

社会評論社

＊前文

基本用語は、① 新定義 ② 全体知 ③ 新世界観である

この本は、二〇世紀までの世界観の転換を促しているものである。

二一世紀以後の新らしい科学が、これまでの世界観・生活観の転換を可能にするという、科学の「**新定義**」を提供しているのである。新定義は、**科学とは「実体の情報化」である**、ということである（養老孟司の理論の導入）。

この新定義は、鳥瞰的な視野であり、自然科学の定義と社会科学の定義とを統一する**全体知**を示している。これ以外には科学の定義はないという意味で、唯一の定義だということができる。唯一の定義から見れば、これまでの自然科学の定義も社会科学の定義も**部分知**でしかなかった点が了解されるのである。**全体知がなければ、世界観は生まれない。**

全体知を獲得した新定義によって、二〇世紀までの二〇〇〇年間にも及んだ欧米の世界観（部分知）が**旧世界観**と判定されるのである。新定義は、これからの新世界観を構築する**基準**になるのである。

こうして、この本には、**世界観の転換のすすめ**という役割が込められているのである。

著　者

唯一の定義を考える

養老孟司は、「私の考える構造の特性とは何か。それは、「輪」である」という（養老孟司『形を読む』六八頁。培風館一九八六年初版、新装版二〇〇四年、のち講談社学術文庫、二〇二〇年）。この「輪」を、養老は「回路」といい変える。これだけの説明ではあるが、そこには、自然科学だけの定義ではなく、社会科学の定義をも示唆した、科学としての唯一の定義を発見したと、私は受け止めた（「構造」や「輪」の詳しい内容は本文で説明する）。前掲書「はじめに」（iii頁）には、「境界領域として最大の分野である、いわゆる文科と理科の接点として、私はこれを省略したくなかった」という。つまり、自然科学と社会科学との統一的な、唯一の定義を考えている、ということであろう。

そこで私は、その回路発想（この回路図が、動的平衡図＝システム図である）を、資本主義に、一般的には、社会科学の「科学的説明」に応用して見たのである。この回路発想から、自然科学と社会科学とに共通の、唯一の定義が導き出されることになるのである。養老の自然科学の方式を社会科学に持ち込んだのは、私がはじめてであろうか。というのも、これまでの欧米の、また日本の明治からの社会科学者はそもそも自然科学などには関心がないからである。

私が大学院修士課程法学研究科に入学すると、開口一番「近代生物学の成果は何ですか」と質問された（答えは、ダーウィンの進化論のことだが）。この時に、「進化論を踏まえろ」という法学者・沼正也教授（民法学、中央大学。『沼正也著作集』を参照）にはじめて出会ったのである。私は学生時代に今西錦司の進化論には手ほどきを受けていたので、沼教授には感激し、すぐに共鳴したのである。自然科学にも目を開いている法学者には、はじめて遭遇した（日本の法学者では一人しかいないという、独創的人材である。ぜひとも沼の著作集を読んでほしいと思っている。そこにはセオリーがあるから）。

自然科学に関心がないのは、理系と文系との分離という、教育制度における制度上の欠陥にある。この分離は、資本主義・株式会社が上昇・発展する段階に即応して、効果を上げた。しかし現在では、先進諸国は少子化時代に入り、また、高度経済成長も峠を越え、したがって株式会社も頂点を越えてしまったので、もう効果的ではなくなってきた。その点に、早く気づくべきである。ノーベル賞の受賞者も含めて多くの学者は、この欠陥のある制度を欠陥だと気づかずに、今でもそのまま受け入れている。もう、そろそろ、目を覚ましたほうがよい（ノーベル賞は典型的な「部分知賞」だ）。

この意味での唯一の科学の定義は、世界を見渡しても、いまだに、どこにもないのである。もう二一世紀に入っているのに（一九世紀の個別科学の出現から二〇〇年以上も経過しているのに）、不思議といえば不思議である。

一般には、一九世紀以後、自然科学は華々しく展開されてきたが、科学の唯一の定義は、一度も下されることはなかったのである。諸科学という個別各分野ごとには、それなりの原理があったのは確かである。各分野の原理（定義）を、小原理（小定義）ということにしよう。たとえば、物理学の原理、生物学の原理、経済学の原理、法律学の原理、社会学の原理等々である。

全分野に共通の、統一的な、普遍的な、唯一の定義を導く原理を、大原理ということにしよう。大原理から見れば、世界で自然科学、社会科学と呼んできた、これまでの科学の定義はすべて、小原理（部分知）だったのである。

唯一の科学の定義を導く大原理は、養老孟司が世界ではじめて突き止めた、と私は評価しているのである。まさかと思う人は、養老の著書をよく読んで見たらよいであろう。そういう以外に、方法はない（少なくとも『人間科学』〈筑摩書房、二〇〇二年〉と『形を読む』の二冊は必読である。特に『人間科学』は社会科学にも、よく触れている）。

養老に先立って、今西錦司の『生物社会の論理』の中の「棲み分け原理」が、欧米で評価されるという事情があった（『生物社会の論理』は今では、講談社・今西錦司全集一三巻の中の一部として納められている）。文部科学省も欧米の反響から、今西の「棲み分け原理」についてては、やむを得ず、教科書にも載せざるをえなかったという経緯がある（今西は、他の部分も教科書に載せてくれといっていたが、文科省は載せなかった）。「棲み分け原理」は、日本の多くの生物学者、主としては生物分類学者、生物生態学者（いずれも個別科学）が評価していなかったので、文科省も特には教科書には載せなかったのである。

欧米が騒がなければ、文科省も日本の学者も頭の切り替えはしないのである。欧米人が評価したらとたんに、日本の学者は、今西理論は素晴らしいといい出した。日本の多くの学者が欧米追随という「情けない姿」は、「棲み分け原理」の場合だけではなく、遺伝子進化論、民主主義論など多様な分野でも普通に見られるのである。欧米のマネであるから、英語の達者な人がそろっているのであるが、しかし、英語は達者でも、独創的人間は見当たらない。

今西錦司と養老孟司との共通思考

今西錦司と養老孟司との共通思考には、大前提があるということである。事実としての自然（しばしば、大自然ともいう）は、全生物から見れば、第一次的な事象（環境）である。第一次的事象というのは、全生物がその自然の中で出現し進化し（時間軸）、その自然が自分の生きていく場所（空間軸）でもあるという意味である（時間論と空間論との二元論の統一思考）。そういう意味で、思考の対象として、自然の事象を当然に前提するのである。大自然に対応させて、私は勝手に大前提という言葉を作ったのである。

自然は万物流転するのである。西欧では、ヘラクレイトスが万物流転するといったという。日本では、鴨長明が『方丈記』「ゆく河のながれ」で、万物流転するという趣旨を述べている（「ゆく河のながれ」は、自然の流転だけではなく、鎌倉武士の時代となり、奈良朝、平安朝が廃れるという社会の流転をも見ている。その他では、『平家物語』も参考になる）。万物流転には、例外はないのである。すなわち、流転しないものはない、ということである。

流転しないものはないという表現に注意してほしい。「～でない～でない」という二重否定形式。この二重否定は、通常、弁証法といわれてきた。二重否定には、二つの意味がある。一つは「すべてがある」（全肯定）であり、もう一つは「何もない」（全否定）である。二重否定は、この矛盾の統一・止揚が課題である。沼教授は、法律学は「法論理学」(法的弁証法論)なのだという。弁証法では「同一律」と「矛盾律」について考えるところである(「同一律」は流転しない・変動しない＝固定している情報。「矛盾律」は流転する・変動する実体)。

万物流転するという見かたは、実体論をさしているのである。たとえば生物の実体論というときは、全生物の身体システムのことである。情報論というときは、人間の心、意識、精神、理性、思考の世界＝脳の機能論のことである。身体(自然であり、変動する)と、意識ないし心(情報であり、静止固定)との二本立てを考えているのである(養老は簡単に、「心・身」の問題ということだ、といっている)。

流転するということは、一つのものごとの現象が、後にも先にも一回しか生じない、ということである。これを、歴史的一回性という。すなわち、歴史的一回性は、研究の大前提だということである。万物は、一瞬において出現するが、一瞬で消えてしまう。二度と生じない(瞬間、瞬間に過去化する。時間は停止することはないから)。事実としての自然(実体)は、同じ現象を二度と再び繰り返すことはないのである。たとえば、私の身体システムは一瞬たりとも休むことなく老化・流転している。だから、同じ状態の身体は二度と再び見ることはできない(過去のことは、情報として記憶脳に貯められているとか、著書になっているとか、写真に記録されているが。すべてが情報化されている）。

　また、生物の進化も歴史的一回性である。同じ進化は二度と生じない。サピエンスは自然史上一回しか生じない。絶滅したといわれる三葉虫も恐竜も、再び出現することはない。同じことを繰り返さないという点で、法則はない、というのである。そういう大前提を、まずは、自覚しているということである。

　流転する大自然それ自体には法則はないのに（実体だから）、これまでの自然科学は、その自然の実体の中に法則があるとしてきたのである。ニュートンは、万有引力に気がついたという。万有引力を、自然の中の法則だ、と捉えた。これまでの自然科学者はみな、ニュートンに右ならえをしているのである（ブラックホールとかニュートリノなど宇宙科学も情報論である）。

　しかし、実は、引力は自然の中に存在する法則ではなかったのである。「万有引力の法則」といわれるように、「法則」であるならば、それは実体論ではなく、情報論になるのである。そもそもの点でいえば、これまでの自然科学は、実体論であるのか、情報論であるのかの区別には、気がついていなかったのである。なぜなら、情報論を知らなかったからである。

大原理とは

大前提、すなわち、一回限りのあれこれの歴史的前提事実を、脳が情報処理をして、理論化した情報を大原理ということにしよう（大原理については、今西と養老は気がついていたのだ。この点を端的にまとめているのが、養老孟司『いちばん大事なこと　養老教授の環境論』一八六頁〈集英社新書、二〇〇三年〉の「だからたえず『実体の情報化』に戻る必要がある。それが科学の本当の意味である」という点であろう）。万有引力についていえば、ニュートンの脳が情報処理をした「情報」だ、ということである。おそらくニュートンは、自然それ自体の中の法則であり、まさか、自分の頭の中に描かれた観念、情報だとは思わなかったことであろう（詳しくは本文で後述）。

大自然を無意識（あるいは、何となく、それとなく）ではなく、意図的に、はっきりと大前提していたのが、今西であり、養老であるといってよいであろう。大前提を自覚しなければ、今西理論も養老理論も出てこないのである。たとえば進化論について見れば、今西、養老の進化論は、自然史という歴史的一回性の現象＝大前提を情報化した理論＝情報論＝大原理なのである。

そうすると、これまで常識であった「進化論は生物学である」という主張の間違いが、明確になるのである。進化論は、生物学（個別科学＝小原理）ではないのである（今西は、進化論は「自然の歴史学」の一つだという）。高校の教科書はみな、進化論を生物学としている。文科省が採用している教科書の作成者が、個別科学＝小原理の論者だからである。教科書の作成教授は、大前提、大原理という発想に気がついていないのである。

これまでの欧米の進化論は、生物学＝小原理だったのである（小原理は日本人の発明、発見ではないから、日本人はマネをしてきたというしかない）。自然の中に法則があるのではなく、自分の脳が法則を作った（考案した）のである。いいかえれば、法則というものは、人間の脳が作り出した産物・情報だということである（法則＝情報）。養老は、これを「自分を知れ」といっている（「自分の脳の機能を知れ」といってもよいだろう）。自分を知るということは、「脳論」に気が付くということなのである。

静止、停止することなく動き続ける自然それ自体は、そもそも人間の脳としては認識不可能なのである（これまでの自然科学は、認識できると無意識に信じ込んでいたのであろう）。養老は、物の運動＝動き自体には形がないから、脳は認識できないのだという。新幹線が時速三〇〇キロメートルで目の前を通過したとき、動く電車の姿は線状で、中の客の姿は全く識別できない。動きは、認識できないのである。しかし、時速三〇〇キロメートルの速度でシャッターを切れるデジタルカメラが撮影すれば、客の姿は判別できる。

カメラは、静止化作業をしているからである。形のある静止物しか認識できないのだ。もっといえば、アナログ（動き）を脳がデジタル（静止状態）に変換してのみ、認識しているのである。デジタルカメラは、脳のデジタル機能を代理しているのである（肉眼の動体視力の利く範囲以内では認識できる。ピッチャーの一六〇キロメートルくらいの投球が、動体視力の限界であろうか）。脳は思考機能のほかに、アナログからデジタルへの変換作業もしているのであるが、その変換作業のメカニズムはまだ解明されていないという。

これまでの自然科学者は、このような自分の側という視点については、まったく目を向けてこなかったのである。研究している自分という、自分の側の理論については、気が付かなかったのだ。「汝自身を知らなかった」のである。そのためか、養老の『人間科学』の論述は、「自分を知れ」からスタートしているのである。

これまでの自然科学は、科学とは法則の発見だと、世界中でいい続けられてきた。自然科学の対象は、「物質とエネルギー」に関するものであったと、養老は指摘する。人間の情報（意識）面は、自然科学の対象ではなかったのだ。たとえば医学では、人間の物質面、エネルギー面だけに限定していたと、養老は指摘する（病気＝器官や内臓・細胞・骨といった物質面の異常は見るが、患者・人間の情報面は見ていない）。だから、唯一の定義の科学なら、物質面、エネルギー面に限定しないで、情報面も追加せよ、と主張しているのである。医学なら、人間面を導入すると、初診者に「どうしましたか、どこが具合が悪いのですか」という会話＝情報交換が、すでに、情報科学的医学のスタート・内容になっているのである。今では、検査技師の検査情報を医師が見て、病名や治療法を決定する。医師が検査情報を見ること自体が、情報論なのであると、養老はいう。医師はすでに情報化作業をしているのに、それが情報化だとは気が付かなかったのである。

医学の根本は予防医学にある。治療や製薬（個別科学の対象）は二の次の問題なのである。法律学の根本は、予防法学＝順法精神にある。予防に成功していれば、治療も薬も裁判も必要がない。新型コロナウイルス感染も予防に成功していれば、事件にはならない。

予防思考は、「転ばぬ先の杖をつけ」なのである。最近は「生活習慣病」といわれ、あるいは健康診断が根付いてきて、予防医学に気がついてきたであろう。

これまでの欧米の個別近代医学は、治療や薬あるいは法律なら裁判が「二の次」の事項であることには気がつかず、「第一次」の事項と思い込んできたのだ。そのために人々は、病気になってから初めて医学にありつくのである。近代医学は、「転ばぬ先の杖」には無関心であり、「転んだら病院へおいで、治してあげるよ」というものである。そこには内科から外科が分裂したという問題があるのだが、詳しいことは省略。

実体は変化してやまないのであるが、法則は観念であり、情報であり、静止・固定しているものである。これまでの自然科学者は、ニュートンも含めて、実体か情報かという区別を知らなかった。これでは、小原理も、もちろん大原理も、わかるはずがないのである。小原理（分析、分業）は、大原理（総合、協業）とともに統一して理解するのでなければ、正確ではない。大前提かつ大原理を知らないということは、自然を知らないということになる。だから、これまでの自然科学なら、厳密にいえば、そもそも自然科学としては成り立っていなかったのである。今や情報科学により、そういう点がよくわかってきたのである。

養老の導いた結論

そこで養老は、①自然史＝歴史的一回性＝法則はない（繰り返しがない）という大前提を自覚した大原理（自然実体の情報化・法則化＝全体知）と、②繰り返しがあり、法則があるという、これまでの自然科学の主張である小原理（部分知）との、この対立する①と②との、決定的な関係をあっさりと解決したのである。実は、大原理も法則（情報）なのである。だから、大原理と小原理との関係は、大法則と小法則との関係だといい換えられるのである。養老は、大法則と小法則との、統一的な法則を発見したのである（これが、情報科学の威力である）。

しかし、多くの自然科学者は大前提についての自覚が欠けていたために（大自然が歴史的一回性であることを自覚していないために、あるいは、「ゆく河のながれ」を自覚していないために）、また、実験に追いまくられているために、養老の大・小の法則関係＝総合理論＝「文科と理科の接点」について敏感に反応することは、今でもないのである。ということは、これまでの自然科学は結局、「人間とは何か」、「自分を知れ」については、科学外的な分野だとして、理解しようとはしなかったのである。「人間とは何か」は哲学の分野であって、科学の分野ではないと、単に勝手に決めつけてきたのであり、合理的な理由はないのである。養老なら、これまでの自然科学には、「人間科学」の視点が欠落している、というわけである。そういう意味で養老は、『人間科学』という題名の著書を書かないではいられなかった、ということになるだろう。『人間科学』は、いって見れば、科学理論のバイブルである（と私は理解しているのであるが）。

以下本文では、私の社会科学への応用編を、るる説明しようということになる。ただし本書は、いわば、総論である。だから、社会科学の各論＝個別分野はどのようになるのかが、次の課題となる。本文では一例として、経済と法律との各論の相互関係を取り上げておいた。

＊目　次

第一章

社会科学も科学になった!?

明治期の科学の定義

　ここでは、社会科学の科学性を主張した過去の流れを、ざっと見ておこう。資本主義経済システムを議論する場合には、現在普通には、社会科学者だけが、特には経済学者が専門の分野として議論している。

　ところで日本では、明治時代半ばに、「分科の学」という意味で、「科学」がスタートした。明治期の科学の定義は、「分科の学」である（科学史家の説明による）。経済学は、「分科の学」の中の一つであった。一つ一つの分野の学を、個別科学という。

「分科」とは、科を分けることである。たとえば、自然科学と社会科学などに分けること。また、自然科学なら、物理学、数学（論理学）、地学、医学、生理学、生物学、無機・有機化学、生化学、工学、情報工学、分子工学、農学、農芸化学等々に分けること。社会科学なら、経済学、経営学、商学、法律学、政治学、政策学、歴史学、社会学、哲学、論理学、心理学、文学、美学等々に分けることである。

日本の大学は、「一般教育科目」として、自然系列、社会系列、人文系列に分けられている。各系列には四科目程度の、合計一二科目程度の個別科学分野が用意されている。私が入学した時には、一二科目も用意してくれているのだから、私は仲間とともに、全部受講することにした（おかげで、卒業が一年遅れたという経験がある）。

分科した学＝個別科学という意味で科学なのであるが、この定義は、ドイツですでにできあがっていた科学概念を直輸入したものである。この最初の人物が森鴎外であり、彼がドイツに留学して身につけてきたものだったと、科学史家はいう。日本でははじめから、個別科学（小原理）としてスタートしたのである。ヨーロッパでは、個別科学以前には、博学（博物学）の時代があった。それはいわば、総合的な、あるいは、全体を見ようとする鳥瞰的視点であった。一九世紀・近代に入ると、個別科学へと分化したのである。日本では、その博学時代の経験がなかった。いきなり個別科学が始まったのである。だから、それらの全体の学＝総合科学には誰も気がつかなかったのである。

分業と協業という言葉があるが、世界中の科学は、近代に入ってからは、分業としての科学しかなかったのである。欧米人が科学の協業・総合思考をしないのだから、日本の学者が協業・総合化に気付くはずもないことであろう。欧米は、博学・総合化の時代から脱出して、個別科学・分業へという勢いに乗っていた時代であった。だから、もしも総合へ目を向けるとしたら、欧米なら時代に逆行することになる。アメリカの科学は、今では、個別分野化の極致にある。これを、日本の学者がマネをしてきたのである。

現在でもアメリカへと留学する専門家はみな、アメリカ人発明の知識をたくさんリュックサックに詰め込んで、背負って、持ち帰ってくるだけである。いまだに、明治期の森鴎外に見習っているのである（アメリカ知識の運送屋だ。ご苦労さんである。日本は、アメリカの個別科学の植民地なのだ）。アメリカ人の独創性のコツを身につけて、あたかもアメリカ人になって帰国する日本人は、いないようである（アメリカに留学しても、独創人間にはならない。逆にアメリカに留学はしなくても、今西錦司、養老孟司〈オーストラリアに留学〉、沼〈ドイツに留学〉のように、独創人間は存在するのだ。日本では江戸時代のほうが、独創人間が多かった）。

マネをするのではなく、日本人独自に正規の科学を打ち立てるという自覚は、今西、養老、沼の外には、ほとんど聞いたことがない。今西や養老は、欧米の理論をありがたく受領するのではなく、欧米理論を否定したところに、彼らの独自性があったのである。「棲み分け原理」が発表されると、欧米人は「この理論は欧米にはない」とすぐに気がついたのに、日本人の方は長々と気がつかなかった。欧米人の多くは、日本人の研究でも独創的であれば素直に評価するのである。日本人には、この素直さがない。なぜかというと、学者の世界には派閥ないし党派性があって、他の派閥の理論は認めないのである（各派閥には親方・お上が頑張っている。「お上共同体」なのだ）。

ただし、個別科学としての研究には、確かに、一理はある（小原理＝小法則は必要だ）。しかし、二理がないといっておきたい。二理というのは大原理として総合化する理屈のことであり、それがない、ということである。

異分野の交流がない　――個別科学の全盛期――

問題は、つぎの点にある。すなわち、時と場合に応じて、自然科学者と社会科学者とが合流して＝異分野交流をして、科学議論をした事例があったのか、あるのか、ないのかということである。私はこれまで、二例を知っている。それ以外に、異分野交流の事例を知らない。その一例は、今西とハイエクとの議論である（それは後述）。もう一つは、東京大学の遺伝子研究者（一人）と、京都大学系の人類学研究者（二人）との、二人の公開討論である。この議論では、遺伝子研究者は、実際に総合科学へと方向を切り替えるならば、自分のこれまで築き上げてきた遺伝子研究＝小原理研究の権威なり、社会的地位を失うかも知らないから、今さら新たな道へ踏み込むことには潔しとしないということになって、公開討論を打ち切ってしまったのである。

異分野交流をしないのは、「おれの分野ではないからだ」、いいかえれば「個別分野が違うからだ」ということである。今では、分野が違えば、自然科学者同志でも議論をしないであろう（最近の少数事例では、医学と物理学との結合の事例が見られるようになった。バーチャル理論など）。また、社会科学者同志でも議論はしないであろう。今では世界的に、自然科学者も社会科学者も、非常に細分化された自分の分野だけの研究に埋没し、定着している時代である（更なる部分知へと入り込む）。

個別科学は、糸の切れた凧のように、各分野で好き勝手の方向に飛んでいき、何百種類という個別分野が野放しになっているのである。そもそも「おれの分野（個別科学分野）」という考えかたが、科学概念を議論する場合には（定義を下す場合には）、問題をはらんでいるのである。現在この問題を議論する教授・学者は世界を見ても、おそらく、九九パーセント以上もいないことであろう。

かつて今西錦司が健在のとき、イギリスの有名な経済学者・ハイエク教授と、科学論を公開討論した。このような自然科学者、経済学者、社会科学者は、今では、ほとんどゼロなのである。

ハイエク教授は討論中ずっと、ダーウィンの「自然選択説」を高く評価しており、今西の「棲み分け原理」については知る由もなかったので、討論は実りなきままで終わった。それでも、やらないよりはよかったのである。

そもそもハイエクは、今西の説明を、すなわちダーウィンの「自然選択説」批判や「棲み分け原理」の説明を、正面から聞くという姿勢がなかったので、今西からしばしば「私の話をよく聞きなさいよ」という場面があった（一般には、後進国の研究を下に見るという、イギリス流＝アングロ・サクソン流の権威主義がちらついて見えるのである。現在でもイギリスなら、ダーウィンの権威は保たれているのである。クリントン元大統領が若いころ、イギリスに留学した。そのとき、面接で「どこから来たか」と聞かれたので、アメリカから来たと答えたところ、「ああ、植民地から来たのかね」といわれたという。ましてや日本をや、である。参考までに）。

科学の正道から外れていく

いわゆる自然科学者ならば、自分の分野では「科学」として、正しく研究をしている

（実際は、実験のこと）と主張してはばからないようすを、養老は指摘する。

そうならば、「科学」という同じ言葉を使用する限り、自然科学の「科学」概念と、社会科学の「科学」概念とは同一であるはずではないのか、同一であることを確かめようではないかと、質問したいのである。

そのように質問をすれば、普通には、「結構です」と言って断られるのである。おそらく面倒なことはしたくない、ということであろう。そうでなくても日々、自分のテーマを追って汲々として実験に追いまくられているのである。業績競争が激しいのである。しかし、競争に勝てば、社会的地位・権威が保証され、国から研究費が増額されるとか、企業が成果を買いに来るとか、あるいは企業が研究のスポンサーになってくれる等々、競争のメリットはあるのだ。これが、産学共同、産官学共同の時代というものである。

科学の世界も中立ではなく、産学共同の産＝資本主義の利益計算にどっぷりと浸っているのである。個別科学はすっかり、資本主義の虜《とりこ》になってしまったのである（儲からない研究、実験はしない。政府が多くの予算を出す分野に、研究者が集まるのも自然の成り行きであろうか）。これは、科学の偏りというしかない。偏りが、御用学者の温床になるのだ。政府も、政府にたてつく研究者の排除には懸命なのだ。これが今回の、菅首相の「六人排除」問題なのである。結局個別科学は、資本主義の発展とともに発展し、衰退とともに衰退するのである。なぜなら科学としての独自性がないからである。今では、研究者は、研究成果を科学「商品」として生産するという、商品のメーカーになりつつあるのである（大学の企業化）。いいかえれば、正統な科学からは離別しつつあるのである。実験学者たちは、科学ではなく、技術中心に、エンジニアに移行しつつあるように見える。

だから、科学概念とは何かといった思考には関心がないのである。この点から、研究者の刹那主義、目先主義とか、利益主義、業績主義のように企業並みになり、正統な科学者としての倫理観は貧困化し、人心の腐敗などが目にも見えるようになってきたのである（目先主義、業績主義の典型はアメリカの個別科学であり、三年間くらいで一つの成果をあげなければならない。成果を上げたらすぐにまた、つぎのテーマを探して三年間くらいで切りあげる。だから若い世代の研究者は、五〇年も六〇年もかけて研究するという大局的研究はやらなくなったのである。近い将来には、大局的研究者がいなくなるといわれている）。

このような姿は鳥瞰的視野で見ると、個別科学がすでに迷路に入いっている姿だ、といえるのである。世界の諸国ではどこでも、世界の大局を見る科学はないのである（大局観がある部署は軍部であり、核兵器、ロケット、人工衛星、気象〈生物兵器バラマキの必須要件だ〉など軍事戦略の場合だけであろう）。

社会科学は科学ではない

戦前なら、自然科学者は、「社会科学は科学ではないから議論はしない」、といっていたようである。社会科学は思想だとか、哲学の部類だというわけであろう。マルクス理論も、マルクス主義思想とか、マルクス主義哲学ともいわれた。思想だから、哲学だからといって科学的でないという保障は特にはないのである。思想や哲学を科学的でないと見るのは、「個別科学」(特には実験学、部分知)から見ると、そのように見えただけなのである。全体知から見れば科学的でもあるのである。

ちょうどダーウィンが進化の「自然選択説」を主張していた時代あたりが、「博学時代」の終わりであろうか。ダーウィンは、自分がキリスト教徒であるという理由から、他のキリスト教徒を、特には神学者を怒らせないように、「進化論」という言葉は意図的に避けていたのである。表現に苦労したダーウィンは、「自然選択説」という表現に決めたのである。当時はまだ、進化論という言葉は宗教上はタブーであった。ダーウィンは、その分かれ道に立っていたのである(ダーウィン自身は、個別生物学としての進化論時代の草分けであろう。宗教上の縛りがなければ、ダーウィンも進化論だといいたかったのであろう。その証拠は、彼の著『種の起源』の中に出てくる)。

しかし、「自然選択説」に賛同した周囲の人たちが勝手に「進化論」といい出したのである。ハックスリーなどが代表人物であり、彼らは神学者から、「お前の先祖はサルかい?」といって揶揄されていたのである(「その通りです、自分の先祖はサルですよ」と、ダーウィンならはっきりとはいえない時代だった)。この時代が、宗教から科学が分離して独立するという、分かれ道なのである。以後、科学は独立性を保持して、現在では、進化論の語は誰もが普通に使えるという、よい時代が到来しているのである(科学の独立という点では、個別科学は貢献したのだが)。

養老が解剖学へと踏み出した若いころに、東大医学部の実験に明け暮れている教授たちから、解剖学は科学ではないとか、時代遅れだとかいって、いじめられたことをはっきりと記している(個別科学・実験学だけが科学だと思っていた時代だ)。養老を博学時代の生き残りだとか、養老は哲学をやっているのだ、くらいに見ていたらしい。これが、自然科学の状況だったと、養老はいう。

戦後になっても、自然科学分野でさえ戦前の延長であったから、社会科学は科学としては、ものの相手ではなかったのである。

社会科学、経済学の流れ

社会科学者の科学思考の流れを見ると、社会科学の出現は自然科学よりも新しいから、社会科学者は、自然科学の流儀を取り入れてきた。その流儀というのは、①「科学は客観的であること＝主観的ではないこと」である。自然科学の流儀は、もう一つある。それは、②「同じことが繰り返し生じる」という法則を発見することである。太陽が毎日東から昇るのも「繰り返し」であるから、法則といえるだろう。天動説も一面では法則としては正しいのだ。しかし、地動説からは一方的に天動説は間違いだと決めつけられてきた（文科省学校では、天動説も正しいとは決して教えない）。

天動説は1型思考によるのである（1型思考、2型思考については、本書第六章の「脳の機能には二種類がある」を参照。地動説は2型思考によるのである。どちらも有効なのである）。

整理すると、これまでの自然科学の流儀は、①客観性＝客観的に考えること、②繰り返し生じる法則を見つけること、の二点であった。

そこで、カール・マルクスが『ＤＡＳ　ＫＡＰＩＴＡＬ』（日本語訳は一般には『資本論』という）を発表したとき、社会科学者は、マルクスの思考が「客観的である」と受け止めた。また、資本の拡大再生産が日々繰り返されていると受け止めた。この繰り返しの「構成要素」をマルクスは、G―W―G'と表現していた（Gは貨幣資本、Wは商品、G'は付加価値の付いた貨幣資本。「G'」のダッシュをマルクスは「剰余価値」といっていた。まだ「付加価値」という用語はなかった）。以後、マルクスを社会科学の手本だと見る人がたくさん出てきた。そこで日本でも、マルクス・ブームが起きたのである（マルクスに反論していたのが、ドイツでは、マックス・ウェーバーであった。日本では第二次大戦後、ウェーバー・ブームも起きていた）。

社会科学の世界では、自然科学者のいう「科学の客観性」を「即物的に考えること」（ザッハリッヒ sachlich「物に即して」）と受け止めた。たとえば、物質は何かと問えば、物質の中に答え・真理があるはずだから、「物に即して」調べればよいと受け止めた（物のことは、物に聞け、そうすれば引力が見つかる、という思考法）。「物に即して」考えていれば、「主観は排除される」と考えた（マルクスは、唯物論のように、精神も物質にまで還元していた。即物的である）。そこで、自然科学の「物」概念を、社会科学では「資本主義」と置き換えて見るのである。物を資本主義と置き換えて、その「物＝資本主義に即した見かた」をすればよいと考えたのである（後に見るが、こういう考えかたも、養老によって批判される）。ここにマルクス以後では、社会科学も自然科学と同等に科学になったと考えたのである。はたして、科学になったのだろうか。

ところで現実は、資本家の立場からの経済学＝国家体制内経済学と、労働者の立場からの経済学＝国家体制外経済学（いわゆる革命的経済学）とに分裂し、二種類の経済学が生じた。もしも万物流転するという思考に視点を据えれば、何も体制内に限った経済学でなくてもよいともいえる（資本主義も流転し、消滅する時代が来るだろうという、長期的視野の経済学）。だから、唯一の科学定義の視点を明示しない限り、答えは、同じ資本主義現象を見ながら、体制内科学も体制外科学も――互いに敵対関係にあるとしても――両者ともに成立するのである（一つの現象を見ているのに、答えが二つ出てきた。どこかに間違いがあるのか、それとも両者ともに正しいのか？）。

議論はいつも、彼らは体制内だとか、彼らは体制外だとかいって、その思考対立を乗り越えようとはしなかった（私の大学院博士課程時代〈一九六〇年代の終わり〉のころでも、体制内だ、体制外だという理論闘争が華やかだった）。現在、トランプ大統領と習近平主席とが対立しているが、この対立を第三者の目＝あたかも裁判官のごとき目から、積極的に解決しようとはしないで、ののしり合ったり、報復合戦をしているようすである（右へ行くのも左へ行くのも、野放し状態である）。

つまり、そもそも総合化しようと考える総合分野がないと、そういう野放し状態が生じてしまうのである。この問題は個別科学では解決不可能なのであり、総合化しなければならないのだ。これまで戦争が続いてきたのは、総合科学がなかったためである。戦争は、思考次元が低いためなのである（弁証法でいえば、「一つ目の否定」段階にとどまっているのであり、「二つ目の否定」思考がないのだ。二重否定をすれば、総合科学となり、戦争解決論も見つかるのだ）。

結局解決は、時の流れに従い、時間が解決したということであった（これをケセラセラという。成り行き上、そのようになってしまった、ということである。二重否定をしない限り、「成り行き」で事柄が続いていくのである。後述）。現在でも、この二種類の延長線上にある。つまり、まだ唯一の科学的な答えがないということである。

社会科学の見かた　──即物的思考と分析手法と──

これまでの科学概念を整理すると、

①　表の見かた＝科学は客観的であること
②　裏の見かた＝科学は主観的でないこと

③　社会科学の客観性の保証は、「即物的思考」をすることであった。社会科学の即物的思考としては、「資本主義のことは資本主義に聞け」という思考法である（物のことは、物に聞け、と同じ）。ここから自然科学の分析手法に見習って、資本主義社会現象を「分析する」という、分析手法が開始したのである。資本主義の中に資本主義の答えが隠れているから、分析してその隠れている答えを引き出せばよいということであった（分析＝還元論の立場に立つことになった。これは、マルクスが代表した）。

現在の社会科学方式は、結局、①客観性＝即物的思考と、②分析手法に収斂するといえるであろう（多くの専門家は、②中心になっている）。ここから、分けるという一点張り思考が、通り相場になったのである。西欧の分析という科学思考は、究極の一点を突き止めるという「還元思考」だといわれている（これ以上変化しない、分析できない終着点。マルクスも、共産主義にたどり着くと、社会の変動は終了すると見ていた。しかし社会も変動し続け、終着点はないのである。終着点を求めた点が、マルクスの欠陥である）。これが、これまでの社会科学に対する結論である。

結局これまでの自然科学、社会科学は、分野を分けることの一点張りで（部分知だけで）、分けたものの全体をまとめる思考・手法はまだない（正規の科学＝全体知がない）。養老は、この全体知への手法をすでに開発しているのである（養老『人間科学』が全体への思考論＝人間の普遍性論を目指し、論じたものである）。しかし多くの自然科学者ですら、それを見ようとはしていない。社会科学者ならば、なおさらである。

総合科学分野を確立せよ

仕事として全体を見なければならないのは、国家・政府である。個別企業の全体、個別科学の全体、国民の全体、国際関係＝世界という全体に目を配らなければならない。政府が全体を見ようとしたとき、「さあ、どうぞ」といって、専門家の目から見た「総合科学」（鳥瞰的な視野）の成果が提示できればよいのである（寺島実郎のいう「全体知」思考が参考になるところ。後述）。しかし、その研究体制は世界を見渡しても、どこにもない。政府下の各省庁も、個別専門家の集まりになっている（分業体制だ）。

今回の新型コロナウイルス事件のように、一国全体を、さらには世界全体を見なければならない場合には、総合科学があれば威力を発揮したことであろうが、そういう分野はない。だから、速やかな対処ができないのは当たり前のことなのである。政府と専門家との会議で対策を発表するのであるが、どの一人をとっても個別専門家であるから、いろんな見方が乱立するしかない（全国的に見ると、医療関係者相互にいろんな見方が出てきている。都知事と大阪府知事とでも、見かたが違う等々）。さらに厄介なことに、ウイルスが変異し始めているという。

誰一人として、「まとめ役の専門家」がいないのである。素人の政治家が、総合的なまとめをしているのだ。だから、ウイルス事件では、素人の解決でしかないのである。結局は人工＝経済に偏ってしまう。この点は、日本よりも欧米の方がいっそう個別分野化が進んでいるので、被害も大きい。何もかもがウイルス感染拡大の後追いばかりをしており（感染拡大の先手を打つ人がいない）、政府も、政治家も、自治体も、医療関係者も、企業家・ビジネスマンも、国民も、オロオロ、バタバタ、ブツブツいっているしかないのである。

根本の問題点は、自然を排除した都市人間の人工思考という、自然と人工との分裂思考にある（フランシス・ベーコン以来のことだが。後述）。人工思考は、都市論上当然のこととして、自然の論理を排除し、無視しているのである。「あちらを立てれば、こちらが立たない」という関係なのである。政府は、「こちら」＝経済の方を立てている。だから「あちら」＝自然＝ウイルスの方は立たない（解決しない）のである（トランプ大統領が自然を世界で一番無視している代表だ。だから、アメリカの感染者数は世界一なのだ）。感染者がいくら出てきても、死者が相対的には少ないという点で、自然を無視し続け、経済優先（人工優先、自然は後回し）に走っているのである。

ウイルスのような自然事件では、政府の初動が決め手になるのである（クルーズ船の段階で、解決すればよかったのだ。政府にしても「水際作戦」を知っていたはずだ。しかし失敗したのだ。クルーズ船がウイルスの培養器になってしまったのだ）。こういうことは過去何度も経験しているではないか。安倍前首相は、初めての経験だといっていたが、それはただの無知だったのである。養老は、今回のコロナウイルス事件以前の著書（『いちばん大事なこと』（二〇〇三年出版。今から一七年前だ）の中で、すでに対処法を論じていたではないか。安倍前首相をはじめ政治家は、不勉強だっただけなのである（理系を知らない文系出身の政治家はその程度であり、年々政治家のレベルが下がっているのだ）。

決定的な解決は、人が出会わないことである（一時的に、一切の経済活動を禁止することである。そのかわりすべての費用は国家が補填することである。これには、「国家の一大事」という認識が必要だ）。地方、田舎へ行くほど、感染率が下がる（岩手県が有名になった）。

ウイルス事件は、都市・都会病なのである。クルーズ船の段階で、損失は全額国家が保証するから、徹底して有効な手法を即時に法律化すればよかったのである。日本だけではなく、先進諸国の政治家は経済を優先するから、自然＝ウイルス退治はその時その時で適当にやり、結果としては長引き、いつまでたっても解決しないのである（こうなってはワクチンに依存するしかない。ワクチンが行き渡るまで、解決はしない。転んで初めて杖を突くのだ）。ダラダラしているために、欧米なら特に、自粛できないという自由人がたくさん出てくるのである。この種の自然を知らない都市型自由人間の自由は、もう時代遅れなのである（自然を無視しては、自由もクソもないのだ）。欧米人がこの種の自由概念にしがみつくという点では、国家社会がマンネリ化しているのであり、思考が硬直化しているのである。このマンネリ化、硬直化が欧米の衰退は必然だ、ということを暗示しているのである。欧米は未来＝先見の明を先取りできないのであり（今という時点に埋没している）、二〇世紀文明の衰退・終わりを予測させるのである。

長引いた分だけ経済的利益を失い、あるいは正常な経済状態に戻すのに時間がかかるのである。長引きという結果から見ると、経済的には大変に損をしているのである。損をするのなら、初動で予算をどっと使うほうが、結果としては得するのである。何としてもクルーズ船段階で食い止める気があるのならば、一兆円くらいは太っ腹にしてドンと出してもよいのだ。今になって、菅首相はウイルス関連の予備予算を数兆円組むなどという。政治家はこんなにアホらしいことしかできないのである。自業自得だというしかないだろう。ようするに先進諸国は、過去の事例には何も学んでいないのだというしかない。

つまり、自然を知らないのに、自然を軽く見ていたのである。トランプ大統領の軽さは、天下一品ではないか。

もしも昔の人ならば、都市人間は自然を無視しているので、罰《ばち》が当たったのだということであろう（私は、罰が当たった、と思っている）。昔の人は自然を受け入れつつ（決して自然を無視しない）、自然に対しては、できる限り、いろんな「手入れ」をしてきたと、養老は指摘する（養老『いちばん大事なこと』では、「そこから『手入れ』という思想が生まれてきた」という〈三〇頁〉）。都市論では、自然性は排除しているから、自然への「手入れ」発想は、ゼロなのである（生態系を破壊することにもつながっている）。

都市論はその性質上自然を排除しているのだが、だからといって、自然がなくなったわけではない。単に自然を無視しているだけなのである。自然についてはまだ未知の部分が多くて、想像以上に手ごわいのである。ようするに都市人間は、そもそも自然に対して勝手に絶大な壁を立てているのである（養老なら、『バカの壁』というのかもしれない）。

ウイルス事件は、この壁を立てたことに対しての裏目が出ているのである。これは、二〇世紀までの文明が大ボロを出していることの一例である（この大ボロの原因は、エントロピーを知らないためである。大前提〈実体〉を踏まえれば〈情報化すれば〉、エントロピーもよくわかるのだ）。

第二章

経済の「動的平衡」理論――資本のクレブス回路

「クレブス回路」とは

テーマの「資本のクレブス回路」という言葉は、おそらく世界中の社会科学者、経済学者なら、「聞いたことがないよ」ということであろう。「クレブス回路」という言葉は、自然科学上の言葉であるからだ。クレブス回路のクレブスは、ドイツ出身の生化学者の名前である（一九〇〇～一九八一）。クレブス回路は、クエン酸回路のことである。クエン酸回路を、クレブス教授の名前にちなんで、クレブス回路ともいうのである。クレブス教授は、細胞の物質代謝の研究で成果を上げ、一九五三年ノーベル生理学・医学賞を受賞した。

クレブス回路は、糖の代謝系の化学構造のことであり、呼吸によって糖・アミノ酸・脂肪酸の完全な分解と最大のエネルギーの引き出しが可能になる化学反応を図式化（モデル化）したものである（生物学辞典の、一般的な説明による）。このエネルギーを消費すると、筋肉が収縮し、身体の自由自在な運動が起きるというものである。身体のエネルギー生産は、生物が生きていくための、自然経済の出発点である（後述）。

養老孟司『形を読む』には、クレブス回路図が示されている（七〇頁）。もう一つは、『人間科学』（筑摩書房、二〇〇二年刊。五七頁）で、ミトコンドリア内での糖の代謝図が示されている。その代謝図の注には、外から絶えず原料（食物）が供給され、「その結果炭酸ガスと水を生じ、高エネルギー化合物ATPを産生する」とある。糖が分解されてATPが産生され消費されると、逆に消費したエネルギーを補給するためにADPが食物から糖を産生する。この両者がぐるぐる回ると見たのである。資本のクレブス図は、養老の回路図をもとに作成したものである（本書五七頁）。

詳しく見ようとしたら、実際に実験をしている専門家以外では無理である（その限りでは、実験学・専門家は必要である）。ただし、高校時代に生物学を受講していれば、必ずATP問題の説明に出会うのである。文系で大学進学をする場合、高校時代に理科の分野・生物学を受講しなかったならば、もうお手上げであろう。ここに、文科省の教育制度の、制度的欠陥があるというのである（この欠陥から、クレブス回路を知らない個別社会科学者が出てくるのだ）。

東京大学医学部の入学試験合格者の中には、高校時代に「生物学」を受講していなかった学生がいると、教授たちが苦情をいう。このような学生は、入学後生物学を知らないいために、学習が進まない難点があるという。これも、文科省の受験科目は自由に二科目を選択すればよい、という方式のためである。生物学は知らなくても、物理学と化学の二科目で合格すれば、文科省上は医学生になれるのである。不都合であるならば、医学部なら生物学は必須だ、と決めればいいではないか（東大でも、文科省には文句をいわないようだ）。

教授は科学者であること

余談を一つ（余談を後回しにしたい人は、「クレブス回路とは『動的平衡』論である」へと飛んでほしい）。

この文系の「聞いたことがないよ」と思っている人を、私から見たら、教授であっても科学者ではないといいたいのである（教授と科学者との分裂現象）。私は、自然科学上のクレブス回路の「分子」概念と、社会科学上ないし経済学上の「資本」概念とを重ね合わせたのである（私の応用編。後述）。もしも回路理論を知っているならば、両者は重ね合わせることができるからである（ここが、個別科学止まりか、総合科学へ進むかの道が分かれる）。

養老は自然科学者ということになっているが、しかし、彼は社会科学の基本についても把握しているのである（たとえば『人間科学』）。だから、その逆があってもいいではないか。すなわち、その逆＝社会科学者も自然科学の基本は把握しておかなければならない、ということである。文部科学省下の大学なら、自然科学教授も社会科学教授も教授である人は、この唯一の科学の定義を必須科目として講義せよ、といいたいのである。そうすれば、教授ならすべてが科学者だ、ということになる。

大学の存在理由を考え直せ

余談をもう一つ。この点から、大学の存在理由・政策も根本的に再考したらよいと考えている。大学は、科学者のみを育成することにする＝科学大学。現在乱立している大学を整理し、科学大学は全国で二〇校くらいあればよい。あとの何百校は、高度専門学校でよい（どうしても大学という名前をつけたければ、高度専門大学とすればよい。ようするに、従来の個別科学分野のことだ）。現在の大学院大学は科学大学のつもりで新設したのだろうが、その効果は見られない（大学院大学を取り下げた大学もいくつか出てきている）。

なぜかというと、大学院大学といえども、そこには教授はそろっているが、科学者がそろっていないからである。統一科学を知らない教授が山ほどもいるということである。たとえば現在見られる法科大学院大学なら、個別科学の延長でしかないから、教授はいても科学者がいないのである。法科大学院大学ならば、沼正也教授のような自然科学にも明るい研究者で埋まっていなければならないのである。

ただし、一般国民、高度専門学校の教師や学生には、科学の定義を考えろといった要求はしなくてもよいであろう。なぜなら、科学研究の学校ではないからだ。科学者は、万人（個別専門家も、一般国民も）が使える、普遍的な科学を構築すればよいのである。

社会科学が科学であるためには、あれこれと検討する点があるのだが、とりあえず私が試みた結論・決め手を、手短に説明しておこう。

クレブス回路とは「動的平衡」論である

クレブス回路の構造上の特性＝回路の特性は、それは「動的平衡」であると、養老は説明をする（『形を読む』六九頁。動的平衡の図が、輪＝円形構造なのである）。要点は、下記の三点にある（六九頁）。すなわち、

①「絶えず回転しているにもかかわらず、つねに同じ構成要素からできている」

②「回路の中では、同じ分子が一本道にそって、順次変化していく」

③「回路の構成要素は定まっているが、回路を回転するごとに、実態としては、つまり分子としては、必ず入れかわる」

という三点である。この養老のいう「クレブス回路」は、ＡＴＰ産生回路のことであった。養老は、学生が「ミトコンドリアの中に、クレブス回路は見つかりません」（前掲書二四頁）と答えていた、という。見つかるのは、化学反応だけである。現実の細胞内には、図示のようにぐるぐる回転するという動きかたはないのである。現実はただ、時間の経過とともに、分子の化学反応がつぎつぎと行われているだけなのである。

この事実としての化学反応に対して、養老はクレブス理論に触発されたのだろうが、養老独自の回路理論を創造・創作したものなのである（実体を情報化したのだ）。この独自性は、もとはといえば、西欧思考に物申すという発想からきている。西欧の特徴は、自然科学も社会科学も、「還元論」や「階層性」が思考ベースにあるという。それに対して養老は、「形態学は、本来還元論よりも、全体論に親近性があり…ホロンのような概念を必要としない」というのである（前掲書六六頁。ホロンは、アーサー・ケストラーの説で、階層性の意味。階層はピラミッド形になる）。

養老の「形態学」は、生物の身体の形態を対象としているのだが、還元論は、分子から原子へ、原子から素粒子へと還元していく。還元して見たら「全ての物質は素粒子からできている」というのが、還元論の結論になる。素粒子は、これ以上細かく分けられないという終着点に到達した、と見ている（さきには、マルクスの共産主義が終着点だという点を指摘しておいた）。そうであれば、素粒子の性質は不変かつ普遍性だ（共産主義も普遍性だ）、ということになる。しかし、これこそ実体論ではなく、情報論ではないのか、ということになるのである。

すなわち、これまでの素粒子論は、実体論（万物流転する物質論）ではないことになる。実体なら、時間の経過とともに、常に変化している。今後も、素粒子以外の物質に変化する可能性がある。いいかえれば、終着点はない。だから、素粒子論のように「素粒子という名前の終着点にたどり着き、固定された、動きのない、すべての物質に普遍的にあてはまる素粒子概念」があるとすれば、それは、情報なのである。還元論のいう普遍性は、実は、情報論なのだ。

還元論者も「実体を情報化」しているのに、その点には気がついていないのである（自分=脳論を知らないからだ）。その証拠は、実験する前に、分子など目に見えない物をどうしたら目に見えるようになるかというように、頭の中で思考図を描いているのである（どんなに微細でも、顕微鏡で見ればその形が見えるだろうと、脳が考えること=情報化だ）。

ここに、「形」への情報化作業が既に働いているのである。つぎに実験に入るが、この時、顕微鏡で見るために、流転する自然の物体＝実体から、ある一部分（例えば遺伝子部分）を切り取るのである。実験物が自然状態から切断されるのだ（人工化作業）。すなわち、実験物は実体そのもの＝自然物ではなくなるのだ（人工物になる。自然物なら実験中にも常に変動するから、実験にならない）。自然物を人工物（固定物）に切り替えるのである。そして、分子なら分子の正体を詳細に見ることになる（遺伝子・ＤＮＡの正体がついに分かった等々）。これこそが、情報化作業というものである。つまりは、実験学は情報科学を試みているのである。

肉眼では見えない分子も、また素粒子でも実体であれば、形態はあるのである（万物には変動する形態がある）。自然科学はすべて形態論なのであり、形態・実体の情報化なのである。還元論者は、この点に気がついていないのである。研究というものは、肉眼で見えるか見えないかに関係なく、この変動する実体をデジタル化し、法則として、情報として、言葉化や数式化する作業なのである（実体の情報化）。これまでの素粒子論も、言葉化や数式化した成果だから、実体を情報化した情報だったのである。素粒子の実体面ならば、終着点はない。変動してやまないのだ。今後は、素粒子よりも小さい物質が見つかる可能性があるのである（その研究はすでに始まっているという）。

西欧思考を批判ないし否定するというだけで、一般的には独自性が出てくるのである(今西錦司の独自性も、西欧思考＝ダーウィン思考を根こそぎ批判するという勢いだったのだ)。養老の西欧思考批判の独自の視点はもともと、脳論(情報科学ないし『人間科学』)が根底にあるのである。だから、西欧発祥の自然科学思考＝科学の客観性の批判を重視してきたのである。

養老は、クレブス回路は、「ヒトの頭の中に存在する」ともいう(前掲書六九頁)。この「ヒト」が、養老自身のことでもある。養老の頭の中で、脳が考えた、ということである(脳論)。この点では、クレブス教授としては、回路理論は「自分の頭の中にある観念＝情報」だという脳論などは、「思っても見なかった」ことであろう(実験学者はみな、クレブス教授と同じことなのだ)。ここに、脳論をベースにした回路理論の特質がある。

ここで、先走って養老の主張のポイントを、引用しておこう。すなわち「科学を統一するものは何か。心配しなくても、事実上、それらは統一されている…現実には、ヒトが『理性的に』考えることに、ほかならないからである。別の表現をすれば、人の脳の機能、あるいは精神の働き、にほかならない」というのである(前掲書三〇頁)。一口にいって、情報科学思考は脳の機能＝脳論として統一されているというわけである(自然科学と社会科学とを統一する働きは、脳の機能である)。ただ、脳論に気がつかない専門家がまだたくさんいるのが問題だ、ということになる。以上が、決め手となっているのである。

私にとって、一つの宿題がある。それは養老のほかに、福岡伸一が『動的平衡―生命はなぜそこに宿るのか』(二〇〇九年、木楽舎)を出版してる点である。福岡の「動的平衡(dynamic equilibrium)」概念は、養老の「動的平衡」概念とは、どのような関係にあるのかである。

福岡は、①細胞膜の外から内へエネルギー産生物質を取り込み、同時に、②細胞内のゴミを細胞膜の外へ排出するという、絶え間ない動き(「入る」と「出る」の動き―荒木の注)が生命現象なのだ、という主張のようである。福岡は、「生命の本質は、自己複製(遺伝子の問題―荒木の注)ではなく、絶え間のない流れ、すなわち『動的平衡』にある」という。「入ると出る」が、「動的でもあり、平衡でもある」ということなのであろうか。この点は、養老の回路理論のATP産生の糖の取り入れは「入る」であり、炭酸ガスや水を排出するのは「出る」に相当する。この点では、二人の主張は重なっているであろう。

以前から、生命は「ゆらぎだ」という「ゆらぎ仮説」というものがあった。福岡の細胞膜が揺らぎの場所だということであろうか。福岡論は、「ゆらぎ仮説」の仲間であろう。福岡には、『動的平衡2』とか、その他数冊を出版しているが、私はその全部には目を通していないから、詳しいことは今後の宿題にしておきたいのである。

個別科学と総合科学と

余談を一つ。専門家であろうとなかろうと、誰でもが生きていくに当たり、自分の脳が、身の回りに生じる全般を視野に入れ、自己流だとしても脳は全般的、総合的に情報処理をして日常の生活を送っているのである。人は、普通には、多種多様な身の回りのできごとに、気を配っているのだ。個別科学は、一つのこと、一つの専門分野だけに気を配っている。だから、たとえば、ある人が身の回りの一〇種類に相当する分野に気を配るとしたら、一〇種類の個別科学に目を通さなければならないのである。そして、個別科学の個別知識を自分で「総合化・総合判断」しなければならないのである（学者はだれも総合化してくれていないから）。

万人が自分で総合化するのであれば、個別科学など必要がない。結局、個別科学は普通の人には、ほとんど役には立っていないのである。人はいろんな個別科学の本を読んで、いろんなことがわかったと思っているのだが、しかし、自分では総合化することができないのが普通である。経済学部卒業者ならば、何かにつけて経済面に偏った思考をしているのである。大学卒業者は、大かたが思考偏り人間になっている。だから、全体がどうなっているかはわかるはずはないのである。これを、個別科学の野放し状態といっておいた。

なぜなら、一点に向けて、コントロールする総合的な研究分野がないからである。

資本主義が広く浸透し、都市が拡大し、複雑になることに合わせて、個別科学が細分化へと邁進し、ますます個別化（部分知化）を深める。箸の上げ下ろしまで、専門家の個別科学が必要になるかも知らない。茶道などの作法では、上げ下ろしは決まっているだろう。お膳に箸を置く場合、ヨコにするかタテにするかも、決まっているだろう（中国では決まっている）。孔子は、祭りの行列参加者が行列をスタートするとき、「右足」から出るか、「左足」から出るかを明確に決めていた。戦時中の軍隊も行進の場合には、左右を決めていただろう。現在の個別科学はまだ、その点では何もいっていないようだ。

こうして、各分野の専門家も、自分の分野だけには知識は深いが、他の分野についてはほとんど知らないということになる。そういうわけで個別専門家はみな、今の社会の全体がどうなっているのかはわからない（故事のたとえを使わせてもらえれば、「群もうゾウをなでる」という状況である）。一人の個別学者が社会の全体を知りたいと思うならば、何十種類、あるいは何百種類という、現在あるだけの個別諸科学に目を通さなければならなくなるだろう。そんなことはできないだろうし、実際やっている個別学者はいない。

だから私は、現在すでに個別学者になってしまった人には、同時に総合思考をせよといっているわけではない。文部科学省に、総合科学の分野を確立せよといっているのである。もしも総合科学を目指すこれからの新人（主として高校生以下）には、少なくとも高校卒業までに総合化の、情報科学の素養を身につけてしまわなければ間に合わない、といっておきたいのである。間に合わない新人は、在来の個別学者にしかなれないのである。高校生が個別思考と、総合思考とに気がつくように、高校のカリキュラム・教育方式自体が見直されなければならないことが必至なのである（高校の教師もすでに、個別分野の専攻者ばかりであるのは、問題だ）。理系か文系かという分けかたは、もう廃止した方がよい。

これからの時代は、万人が理系の知識を身につけるのがよいだろう。経済分野、ビジネス分野、法律分野等々、従来の社会科学分野は、理系の素養を身につけた人たちが、ＡＩ機器を活用して、担当するような時代に変化していくことであろう。それが、ＡＩ時代といわれるものなのである（もう文系はいらないという方向性が、目のいい人には見えているだろう。拙著『人材革命』〈社会評論社〉を参照してほしい）。

だからといって、ＡＩ時代が理想社会だという意味合いは、何もないのである。資本主義を推し進めていけば、そういう段階に至るという、経済社会の内在論理を指摘しているだけなのである。ＡＩ時代は人工科学の行き着く地点であり、そこからようやく排除していた「自然性」の問題が何であるのかとして、はっきりと浮かび上がる順序であろう。人工理論ではもうダメだというドン詰まりまで行かなければ、個別専門家は、つぎの、新規の問題に気がつかないのであろう。新規の問題というのは、自然性の問題・総合化の問題である。科学の目指す終着点＝人間の普遍的な在り方は、自然問題（実体）の情報化によって決まるのである。経済や政治、文化の問題は、その範囲内で考えるべき、二の次の問題となるのである。

最近のテレビで、隈研吾（代表的な建築家）が反省の意を表明していた。それは、「箱文明の終わりか？」ということである。箱文明は、高層ビル建築の全盛期のことである。箱の中だけが最高の文明機器で満たされているのである。文明人には、最高に居心地がよいのである。しかし今や、ビル間の空間には自然がゼロとなり、一歩箱から外に出ると、居心地が非常に悪い。そこで隈は、「ビルに住みたいのではなく、町に住みたいのだ」と気がついたという。

そういうわけで、町作りのために、公園を充実させること、その他自然環境にウエートをかける構図を考えなければならないというのである。ビルの屋上に木を植えたり、池を作ったりするのも、その一環と考えているだろう（四川省成都市では、最新の高層マンション〈二六階建て〉の各世帯に、庭を設置した。八畳間ないし一〇畳間くらいだろうか。木を植え、草花を植え、池を作った。しかし夏が来たら、蚊の大群に襲われ、ほとんどの住人はマンションを捨てた〈池が蚊のボウフラの温床だったのだ〉。テレビでは、そんなニュースが流れていた）。しかし今さら気がついても、時すでに遅いのである。もうとっくに、『東京砂漠』という流行歌が、箱文明の欠陥を指摘していたではないか。そのときに、隈も思考転換をしていればよかったのである。

もう一人、個別専門家ではあるが、「全体知」を強調する人物がいるので、取り上げておきたい。彼は、寺島実郎である。彼は、本物の中の本物としての「民主主義」とは何かを、一貫して追求しているのである。日本やアメリカ等の個別具体的な民主制を見ながらも、つまるところ、世界の全体を知れというのである。全体を知ったら、日本の「自存自立の道」を考えろ、という主張なのである。たとえば、日本はアメリカとの同盟で日本は存立できるという「部分知」では将来はダメだという。イギリスやヨーロッパ諸国、中東、中国、ロシア、東南アジア諸国、中南米諸国、アフリカ諸国等々についての「全体知」を身につけろという。今後は、アメリカとの同盟＝部分知では日本は生きてはいけない、と見通しているようである。

何よりも「全体を知れ」という発想は、現在大変に貴重である。ほとんどの人が、また個別科学者までもが「部分知」に閉じこもっている時代だからだ。個別専門家では、もう、未来の新世界〈先見の明〉は切り開けないのである。私の総合化は、自然と人工との

「全体知」を求めているのであり、寺島とは見る対象は違うが、しかし「全体知」思考の質としては同じである。隈研吾は、「町に住みたい」ということで、自然も含めた全体知に、少しなりとも目が開いてきたのだろうか。全体知がなければ、世界観は構築できないのだ。

資本のクレブス回路とは何か　―私の応用編―

私のいう「資本のクレブス回路」とは何かを見ていこう。それは、養老のいうエネルギー産生のクレブス回路（養老の、情報科学としての自然科学の方式）の思考法・理論を、資本主義システムに採用（適用）したものである（次頁「資本の回路図」参照）。私は、科学概念は自然科学にも社会科学にも、等しく共通でなければならないという思考を前提としているのである。共通である場合にこそ、唯一の科学の定義が成立するのである（『形を読む』「はじめに」iii頁の「理科と文科との接点」とは、「動的平衡」論のことである）。

養老の要点①「絶えず回転しているにもかかわらず、同じ構成要素からできている」の資本への適用としては、養老のいう「同じ構成要素」を、私はマルクスのG—W—G'を拝借しているのである。この構成要素では、P＝生産過程が表現されていない。

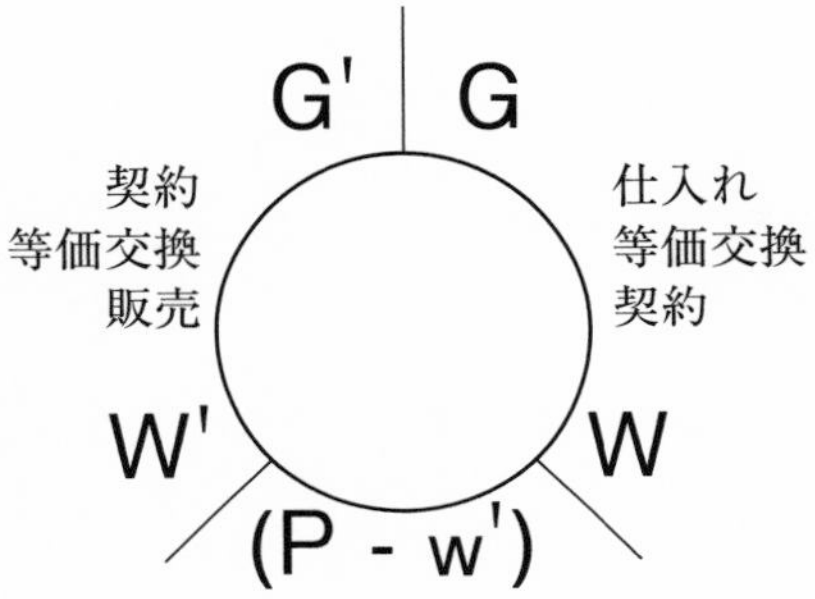

資本の回路図

すなわち、資本主義では、P＝生産過程は私企業＝私的所有者の手の内の事＝私事《わたしごと》として、公表する必要はない部分なのである。わかりやすくいえば、私がマグロの刺身をいかに食べるかは私の自由・勝手であり、特に隠しているのではなく、一々公表する必要がないのと同じく、私的な手の内にある私事＝生産過程は公表するいわれはないのである。

だからあえてPを公表するとすれば、G―W（P―w′〈wは製品の意味〉）W′（Wは商品の意味）―G′となる（これが一単位の基本形だ）。P＝生産過程は、購入したWに人の能力を付加し、付加価値のついた製品w′を生産し、販売するために商品W′にするプロセスだということでる。製品w′と商品W′の「′」とは、価値量が同じだということ。w′は公表する必要はないが、W′は販売すべき商品だから公表される。

注意する点は、G―W―G′の後半のW―G′の式は不等価交換である。商品交換はすべて、等価交換でなければいけないのだ。そこで、G＝W…W′＝G′と考えて見ればよい。この点線の中で私的に生産がおこなわれており、この生産でWをW′にするというマジックが行われているのである。資本主義とはこのような複雑な仕掛けなのである。

マルクスは、資本の基本的運動をG―W―G'というように、ヨコ型で表現した。しかし、私はこれを養老に見習って、「円形の回路」で表現したのである（前頁図）。情報科学では、表現・表示が重要なのだ、という点に注意しておいていただきたい。表現とは、自然とか社会という研究対象を、情報化＝言葉化、記号化、数式化、図式化、可視化することである。一般的にいえば、「可視化」することである。たとえば風は見えないが、木の葉がこの程度に揺れたら風速三メートルだ、というのが可視化である。

円形の回路にすれば、資本は「同じ構成要素」の上をぐるぐると回ることになる（運動かつ変動）。これが、回路の「要点①」の「回転しているが、同じ構成要素からできている」ということができる。「回転しているが」の回転運動にはすでに、万物流転する＝歴史的一回性（大前提）の性質を内在していることに、気づいてほしい（回路の「要点②」の「一本道にそって、順次変化していく」にも当てはまる）。

マルクスのヨコ型の表現は、時間の経過に伴う資本の運動面だけを説明（表現ないし表示）していることになる。運動だけなら、ヨコ型一直線の図式でよいのである。ヨコ型の図式では、その図式を見ると、資本が左から右へと進むだけである。繰り返しという元に戻る図式になっていない。資本の運動がグルグルと回転している＝繰り返しているという点については、マルクスの図式では表示されていないのである。ただしマルクスの頭の中では、「繰り返している」と考えていたのかも知らないが。そう考えていれば、それはそれでよいのである。しかし、結局、表示・情報としては円形図式は示されていないのである。

　マルクスの図式では（一般には、ヨコ型一直線の図式では）、繰り返し生じるという資本の法則は表示されていないことを確認しておこう。そこであらためて、マルクスの表示を見直して見ると、

「G＝W（P1―w'）W'＝G'」「G'＝W（P2―w''）W''＝G''」

「G''＝W（P3―w'''）W'''＝G'''」…革命・社会主義へ

という表示になってしまっているのである（「＝」は等価交換の意味。P1以下の数字は生産回数）。

　だから、マルクスの図式は、結局のところ、資本主義を超えて体制外の革命へと突き進むのである。たとえば資本主義が二百年、三百年は「繰り返し続く」という、その間の「資本の繰り返し＝資本の法則」の説明は、図式としては示されていなかったのである

（私は古代に資本主義が出現したと捉えているから、二千年以上続いている＝繰り返している、ということになるが。後述）。

不毛な論争ばかりだった

余談を一つ（クレブス回路理論の続きを急ぎ知りたいならば、「資本主義固有の法則」の項目へと飛んでほしい）。

その点では、体制内派からは、マルクス経済学は資本主義理論ではない＝体制外理論だと、批判される余地があったのである（日本では、戦前のマルクス批判は、小泉信三教授・慶応大学が主役であろうか）。だから、マルクス理論は動くという、動態的な、一面的な見かたで終わっているといわれても、しかたがない。「動的平衡」の平衡面（構成要素の円形図）が表示されていないのである。

世界の経済学者あるいは社会科学者はみな、資本の運動を左から右へのヨコ型一直線で思考し、説明しているであろう（運動論、変動論だけだ）。世界の体制内学派は、マルクスを批判していても、結局、長期的に見れば、マルクスと同じ方向（左から右への一直線）に進んでいるのである。体制内経済学は短期的な見かたをしているだけであり、マルクスはもっと長期的に見ていただけだ、ということになるのである。短期か長期かの違いだ。長期的に見ればどうしてもマルクスのように、国家、社会の体制はどうかという点に深入りしてしまうのである。

戦前のアメリカの経済学者は、マルクス主義を批判していた。アメリカの社会主義経済学者・ヴェブレンは、批判され迫害されたために、惨めな生涯を送った。最後は、友人が貸してくれた犬小屋に間借りをし、そこで死んだという。戦後アメリカ政府は結局のところ、労働法（バーゲニング・労働力商品の売買法＝マルクス理論）も含めて福祉策（マルクス理論の一部）を取り入れたではないか。長期的に見れば、そういうことになる。戦前のアメリカ経済学者は、ヴェブレンやマルクスに対しては、見通しのない（科学的理論のない）短期的視点からの批判だったといわなければならない（批判というよりも攻撃である。ヴェブレンがかわいそう過ぎるのではないか。何の保障もしない。アメリカの社会は冷たいのだ）。

現在の経済学も、同じである。科学的ではなく、実用主義（プラグマティズム）思考ならば、そういうことになるのである（後述）。

現在でも、相変わらず、たとえばアメリカと中国は、右だ左だといった対立を深めている。矛盾の解決には賢明さがない。経済、政治の世界では、戦前も戦後も相も変わらず、歴史的には不毛の議論だという以外にはないのである。

経験論、プラグマティズムはケセラセラである

余談をもう一つ（急ぐならば、「資本主義固有の法則」の項目へと飛んでほしい）。

アメリカの政府、社会は、結果としてマルクスの主張の一部を導入したという点では、それまでの純粋の資本主義＝体制内資本主義を貫くことができなくなったのであり、修正資本主義になったのである。今後も、資本主義はつぎつぎと、修正し続けられる限り修正し続けるだろう（資本が生き延びられるのであれば、マルクスでも、敵対的条件でも、つぎつぎと飲み込むことであろう＝妥協する。トランプ大統領なら、北朝鮮の金正恩の主張をも飲み込もうとしている）。そのうちに、限度に達することになる。現在の先進諸国は、資本主義と社会主義とのハイブリッドの時代的段階だともいえるのである。このつぎにまた修正を迫られるならば、今度は資本主義そのものを捨てるかも知らない。大前提から見れば、一般論ではあるが、資本主義も万物流転する運命からは逃げられないのである。

最近、水野和夫・山口二郎『資本主義と民主主義の終焉』（祥伝社新書、二〇一九年）が出版された。資本主義が消滅するといっているのである。もはや、私のいう意味での修正

が不可能になったということであろうか。私は、資本主義はまだそう簡単には消滅しないと見ている。今度はＡＩ型資本主義が登場するのである。

アメリカの経済学も時間軸で見れば、結局はマルクスと同じく、右へ右への一直線型の運動論だけの見かただったのである。一直線思考には、「動的平衡」の、「平衡」の側面＝繰り返しという、資本の法則理論がなかったのである。アメリカの経済学は、法則＝繰り返し生じるシステムについては、現在でも発見していないのである。すなわち、資本主義の法則を知らないままでも平気でいられる、ということである。しかし、中国が台頭してきているので、トランプ大統領は盛んに、中国を「モグラ」と見て、モグラたたきをしている。

アメリカ方式は、経験的に、実用的に、行動優先型で、経済を運用しているだけなのである。世界の先頭を走ってさえいられるならば、法則がどうの、構造がどうのという意識・思考は芽生えてこないのである。だから、将来どこへ行くのかという点では、科学的な予測を立てるという発想がないのである。一口にいってしまえば、アメリカの経済は、ケセラセラ型予測（なるようになるさ）になるのである。ヴェブレンを叩きのめすなど、あれほど批判していたマルクス理論を一部なりとも導入したという点を見れば、結局ケセラセラになったのである（世界の先頭だから、成り行きだけでもよいのだ）。現在なお、彼らの意識は、世界一に安住しているのである。トランプ大統領も、今でも世界一だと思い込んでいるだろう。しかし「本当か」という不安が一瞬よぎることもあるのかも知らない。だから、改めてアメリカ・ファーストを主張しなければならない時点に追い込まれているのであろう。

イギリスなら、経験論・先例拘束性思考をしてきた。フランシス・ベーコン（一五六一～一六二六）の経験哲学が基礎になる。法律面では、これを、不文法の国と呼んできた。先例は、判決記録として存在している。判決記録が成文法典の役割をしているのである。事件が起きたら、大陸法のように法典を見ろではなく、判決記録を見ろ、ということになる。フランス、イタリア、ドイツの成文法（大陸法）の国の人の思考とは対照的である。先例（これまでの経験）の枠に入らない新規の事情が生じたならば、そのとき、そのときで、その事情に対処するという自由思考をした。EUに加盟したり、脱出したり、自由なのである。自由といっても、それなりに理由はあるのである。寺島の「全体知」視点を借りると、アメリカ、イギリス、ドイツとの諸関係があったという。特にドイツは、アメリカとの同盟がずいぶんと希薄になってきた点があるという。イギリスのEUにおける出番は、イギリスがアメリカとドイツとを結合する役を背負っていたという。しかしアメリカはドイツとは縁が遠くなってきたから、イギリスはEUに席を置く必要もなくなってきたという。そういわれて見ると、納得も行く。

英米はマルクスのように、資本主義の構造とか、社会の構造とは何かという構造・システムなどは考えないのだ（行動論だけが重要なのだ。行動科学が発達したのも、そのためである）。なぜかというと、おれが一番先頭を走っているのだとか（勝てば官軍なのだ）、おれが一番正しいとか、おれの行動は正義だと固く信じて疑わないからである（プラグマティズム精神は、固く信じること＝信念を持て、信念で突っ走れ、がポイントなのだ。後述）。だから、行動が先走る。これまではこの信念で、世界の先頭を走ってこられたのである。

自分の行動の自己批判はありえない。ただに、意見を変更するだけである。トランプ大統領は最初、おれはマスクはしないといっていたのに、これでは選挙の票を減らすかもしれないと見たら、すぐにマスクをし始めた。また、民主党の議員を「あいつはバカだ」と平気でいう。日本なら吉田茂首相が、国会で「バカヤロー」と発言したために、首相の地位を辞任することになったのとは対照的である。日本の方が正しいだろう。発言や変更の説明責任などは感じないのである。

経験論、プラグマティズムでは成文法典のように、あらかじめ行為の枠＝法システムを決めておき、枠にはめられるような思考、行動は大嫌いなのである。その行き着く先は、原理主義になる。ニューヨークでは、コロナウイルス事件の最中でも、自由に行動させろとデモまで起きていた＝自由原理主義か（感染するかしないかはおれの自由だ、他人はとやかく言うな！　といっているかのようである）。グリーンピース集団――日本のクジラ漁禁止を主張――というものがある。これは、自然原理主義であると、養老は指摘する。原理主義では何も解決しないという。

グリーンピースの行動について、養老『いちばん大事なこと』（六五頁）では、クジラ漁禁止の「秘密文書」が明らかになったという。それによると、アメリカのベトナム戦における「枯葉作戦」が環境保護団体から非難されたので、その「目くらまし」という「情報操作」をしたのだということである。一九七二年、アメリカは「ストックホルムの人間環境会議」で商業捕鯨の停止を提案したことを受けて、グリーンピースが行動を開始したのだ。しかし、クジラ漁とは何も関係のないことが分かったのである（禁煙運動も、アメリカの情報操作、目くらましなのだ、と養老はいう）。

枠にはまりたくないという自由の意識は、実は、都市＝人工社会人間の思考の一般的性質なのである（都市論という）。日本も経済は資本主義システムだから、自由論は一般的には当てはまる理論なのだ。しかし日本の伝統思考が根強くベースにあるために、理論通りにはなっていないのである。「自粛を願います」というと、アメリカ人のように「おれの勝手だ」とデモなどはしないで、多くの市民はすなおに自粛するのである（お上共同体文化が生きている)。アメリカ人のような自然を知らない自由主義は、日本人の意識の中には全く根付いていないのである(これは、「もっけの幸い」であろうか。しかし、オウム真理教のような原理主義に飛び込む人がいるという時代に入ってきたことも事実であろう)。アメリカ等の原理主義は、その自由の、あたかも神がかりの行き過ぎた言動ないしは徹底した言動であるのだ。

資本主義固有の法則　―資本の動的平衡論―

話を、元に戻そう。これまでは、体制内経済学も体制外経済学も共通して、ヨコ型一直線の表現しか知らなかったのである。時間軸一本の見かたである。すなわち、運動論＝変化論だけの見かたであった。空間軸＝システム・構造論がない見かたなのである。せっかくのマルクス理論も、「平衡」論がない点では、惜しいかな、不十分な思考だったのである。「法則＝繰り返し」を考慮すれば、一直線表現ではなく、円形図式を回転するのも、これもまた立派な運動ではないか(万物流転する性質があるから)。この円形・回路の構造が、資本主義固有の法則(平衡)なのである。ここに、体制内資本主義の説明ができるのである。

もしも、資本主義体制を長期的に見る経済学を考えるならば、「動的平衡」の「動的」側面＝資本の回路の回転を、万物流転するという意味で理解すればよいのである。どうしてもと思う人は、構成要素の円形表現をバラして、一直線型に展開し、議論すればよいのである。しかし、一々バラさず、円形の回路のままで、資本がその回路を動くという場合には、一直線に伸ばした場合と同じ意味であることに気づけばよいのである。一直線にすると、運動・変動の側面が目で見ただけでも分かりやすいというだけのことである（歴史を「年表」のようにヨコ型一直線で示すと、わかりやすさはあるだろう。年表については後述）。

そういうわけで、世界の経済学者、ないし、社会科学者は、資本主義社会についてまだ唯一の科学の定義を知らないという結論が出たのである。養老の「動的平衡」概念を理解してはじめて、社会科学も、したがって経済学も、唯一の定義としての科学になるのである（この発想が、脳論、人間科学、情報科学に基づいている、という点が重要なのだが）。

マルクスはせっかく、G—W—G'という運動の「構成要素」を発見したのに、資本がその構成要素の上をぐるぐる回転するという、資本の法則＝「資本の構造」を見逃していたのである。英米の経済学者は、G、W、G'という構成要素さえも、いまだに発見していないことに注意をしたほうがよい。プラグマティズムでは、構造論といった発想がないのである。そのとき、そのときで、問題の事案をつぶしていけばよいのである。これを、モグラたたきといったのである。どのモグラをたたけばよいかの詳細なデータを作成・処理することが、彼らの思っている科学なのである。トランプ大統領は、モグラたたきの手本であろう（繰り返して言えば、構造論がないのは、アメリカが世界一という条件の場合だけのことである。世界一ならば、何とでも勝手なことがいえるのだ）。

構造（システム）＝構成要素という概念は、運動概念ではない点に注意が必要である。運動するのは、資本である。たとえていえば、アナログ時計を想像して見ると、わかりやすい。「動的平衡」における動＝資本は、時計の針を想像すればよい。平衡は、文字盤を想像すればよい。この文字盤が資本のグレブス回路図なのである。すなわち動的平衡理論というのは、クレブス回路図で表現（情報化）される理論である。

針が動くときには、時間概念が必要である。文字盤には、時間概念は必要ではない。ただ空間概念があるだけである。全体としてまとめて見れば、動的平衡理論は時間概念と空間概念とでできあがっているのである。動的平衡図は、「実体の情報化」理論の構造図なのである。

資本の構造論は一般理論である

資本の構造論は、資本主義が開始してから消滅するまでの間、一般的に通用する一般理論である。有限ではあるが、二百年でも、三百年でも続く。私は、二千年以上続いていると考える。一般理論というのは、具体的な運動の介在者＝時間を抽象して捨象した、抽象的な概念なのである。時間概念がないので、空間概念だけとなる。経験論、プラグマティズムでは、この空間概念がなかった。

資本主義の一般理論の範囲以内でならば、個別資本は何百年でも回転するのである。資本主義の消滅ならば、一般理論と個別資本の回転とが同時に消滅するのである。資本が二百年でも三百年でも相も変らず通用するということ＝法則であるならば、その法則は、実は、情報そのものだというのである。一般理論は脳が考え出した観念だから、そういう観念を情報というのである。ここに、資本主義を情報理論・情報科学として書き変えることの可能性が見えてきたのである（情報科学としての経済学、情報科学としての法律学、情報科学としての社会科学、情報科学としての自然科学等々として表現できる。たとえば、情報科学に基づかない経済学は間違いだ、ということにもなる）。そこで、資本主義を情報科学として書き変える場合には、養老の回路の三つの要点を充たせばよいのである。

資本の運動面を見ると、最初の1回転で、一つ付加価値が生じる。二回転目では、「同じ構成要素」の回路を回転する。そうするとまた、二つ目の付加価値が生じる。つまり、回転ごとに資本の質量が変化する。ここに、回路の「要点②」の「一本道に沿って順次変化していく」こと、すなわちGからWへ、WからW'へ、W'からG'…へと変化したことと、「要点③」の「実態としては入れかわること」＝資本の質量が変化したことがわかる（養老のいう、化学反応で変化する分子は、ここでは資本に置き換えられている）。社会現象でいえば、時代が、あるいは世の中が資本の一回転分ごとに変動したということになる。論者によっては、資本主義が発展したという。こうして一般理論の範囲以内で、個別資本は常に変動しているのである。

細胞の中で分子の化学反応がエネルギーを産生するのと同じく、資本の運動には付加価値が生産されるのである。資本主義は付加価値生産システムだから、大いに発展したのである。この「動く」という点では、回路の「要点③」の「分子が入れかわる」＝資本の「実態が入れかわる」ことがわかったことであろう。初動を資本1とすれば、二回転目は資本2となり、三回転すると資本3になる等々で、資本の実態が入れ変わる。つまり付加価値が拡大的に変化することもわかるのである（マルクスは、拡大再生産といった）。

表現された円形構造の「構成要素」は、静止ないしは固定している（時間概念がない）。

この固定している円形・回路構造が、「資本の構造」といわれるものなのである（時計の文字盤を想起せよ）。構造がわかったら次の要点は、構造（システム）のあるものはみな、必ず「機能する」という点である。機能は、動くこと、運動をすることである。資本1から資本2…資本nへと動くことは、資本が回路の上で「機能」したことを証明しているのである。

英米の経済学は、機能面だけの、運動面だけの思考であった。しかし、機能するものがあるということは、そのものには必ずシステム（構造）があるという論理が認識されていなければならないのである（構造と機能との両立＝統一）。ここに、プラグマティッシュな思考がシステム面を自覚していないので、人間科学視点からは科学としては不十分だというこことがわかるのである。心理学でいえば、かつて「行動科学＝心理学」が華々しかったが、現在の心理学では、プラグマティッシュな「行動科学＝心理学」を否定し、「認知科学＝心理学」に変わっている。認知（脳）科学＝心理学は、脳論と合流したのだということになろうか。

第三章　民法の「動的平衡」理論

商品論　―商品の私的性質と社会的性質と―

経済の、資本の「動的平衡」理論は、民法＝財産法でも同じである。民法は経済の性質を法律論らしく翻訳（情報化）したものだからである。経済は、商品の経済的価値関係である。民法は、商品の所有における、人と人との権利関係だ。商品論がカナメである。商品論から見た経済と法との不即不離の関係を知るところである（各論の相互関係）。

日本の法社会学の開発者・川島武宜は（東京大学。川島理論の決め手となった『所有権法の理論』参照〈岩波書店、初版一九四九年。のち新版一九八七年〉）、私的所有は、商品の基礎・基点だといった。商品の基礎・基点とは、商品の私的性質のことであり、静的状態である、といった。商品の私的性質とは、あるものが誰のものかという「所有（基点）」があらかじめ決まっていなければ、そもそも資本主義は開始しない、という意味である。資本主義開始の基点が、私的所有である。ここに、オール・オア・ナッシングの論理が出現する。所有論とは、一人の人の所有がオールであり、その反射として、所有者以外の人の所有はナッシングである、という意味である。

また、商品の私的性質は、必ず運動するという機能がある。この商品の私的性質の運動面を、契約というのである。契約は、商品の社会的性質・動的側面なのである。ここに、ギブ・アンド・テイクの論理が出現する。これは、「与えて（ギブ）から受け取る（テイク）」ことである。自分の商品を相手にさき渡しする（ギブ）というのは、自分を信用させることなのである。契約には、相互信用が付きまとっているのである。総じて民法は、信用体系（システム）なのである。

整理すると、商品とは、①私的性質（静的状態）＝オール・オア・ナッシングの論理と、②社会的性質（動的状態）＝ギブ・アンド・テイクの論理との、その二面が統一しているのである。民法（財産法）は、商品のオール・オア・ナッシングの論理とギブ・アンド・テイクの論理とを、条文化（言葉化・情報化）したものである。商品の私的性質が、民法の、権利の側面では、私的所有権として翻訳されるのである。商品の社会的性質＝動的側面が、権利としては、契約として翻訳されるのである。こうして、民法＝所有と契約の法体系（権利システム）ができ上るのである。

民法を、そのまま民法とはいわないで、民法を「商品交換法」といい変えて見れば理解しやすいのである。法理論の成立以前に、商品論が理論的前提としてある、ということが重要なのである（法律は、経済＝商品＝下部構造を反映しているところの上部構造だ）。だから法律学者は、商品論＝経済論も研究しなければならないのである。つまり経済と法との、いいかえれば下部構造と上部構造との二分野の分離と（個別科学＝経済学と民法学への分科）、その総合化（経済学と民法学との統一論への道＝経済〈資本〉と民法〈所有〉との動的平衡論）を研究しなければならないのである。

実用法学としての民法学　―所有と契約の法体系―

川村泰啓（民法学。中央大学）は、民法典の『所有権編』と『債権編』としてある法的構成要素は間違いであるとした。川村民法論は「所有と契約の法体系」として書き換えたのである。それが、川村著『商品交換法の体系1』（勁草書房、増補版一九八二年）である。川村は、民法典の所有権と債権との対置のしかたを廃棄処分して、所有と契約との対置に変更したのである（正しく対置することが重要だ。後述の「名実論争」を参照）。

債権というものは、①私的所有に基づく請求権と、②契約に基づく請求権との、二種類の請求権に分けられるのである（債権は所有や契約を前提とした、属性的に生じる権利＝請求権のことである。所有に対置されるような独立の権利概念ではない）。

二種類に分けられてこそ、意義があるのである。かつ、それしかない。だから、民法典のように、固有の、独立の債権編といった項目・概念は成立しないのである。すなわち、民法典の構成要素は、間違いなのである（現実に機能している＝実用化している商品論に対応させた点で、川村は、実用法学というのである。わかりやすくいえば、「民法」といわないで、「商品交換法」という点が、実用的な表現だということになる）。

所有と契約は、腹と背中の関係である。つまり、ワンセットなのである。かつて、民法の神様といわれた我妻栄（法解釈学の確立者。東京大学。司法試験では、我妻民法を知らずしては合格なし、であったのだが）は、『債権の優越的地位』を発表した（有斐閣、一九八六年）。このとき、川島はただちに、債権には優越的地位などはない、と反論をした。我妻は、高度経済成長で債権現象（経済では売買現象）が盛んになったという点で、債権現象が所有現象よりも優越していると見たのである。

川島は、所有と契約はワンセットだから、債権（売買）が盛んな現象は、それはすなわち所有が盛んに商品の社会的性質を発揮し、動的表現＝売買表現をしているだけなのだ、というわけである。いいかえれば、民法上は所有が、経済上は資本が、盛んに動いている

＝機能しているのである。契約は、所有が動的に変身した姿なのだ（しばしば、変身＝メタモルフォーゼという。日本語訳は、姿態転換という）。すなわち、契約は、所有が化けていた姿（メタモルフォーゼ）なのである。資本の所有が本質であり、契約は具体的な現象なのである。これは、本質は現象するという、論理学上の「本質—現象」の関係なのだ。そういうわけで、所有と債権（川島、川村ならば債権とはいわないで、契約という）とを分離して思考している我妻説を批判したのである（民法典の構成要素なら、『所有権編』と『契約編』とするのがよい）。

財産法の体系（システム）は、二本の大木で構成されている。すなわち、①オール・オア・ナッシングの論理の大木が一本あると想像すればよい。②ギブ・アンド・テイクの論理の大木が一本あると想像すればよい。財産法は、この二本の大木で構成されているのである。事件を見たらまず、①に属するか、②に属するかを、見分けることになる。①のものと見分けたら、①の大木のどの枝葉に位置づけられるものかを見分ければよい。この大木の枝葉のシステムは、川村『商品交換法の体系1』が整理してくれているのである。

たとえば、賃貸借契約違反事件では、ドニストリヤンスキー（ドイツ）が、「権利（債権）の上の所有権」という説を提示したことがあった。川村はすぐに反応して、彼の論理を整理した。つまり、その事件の「権利（債権）」は請求権であるのだが、①の請求権なのか、②の請求権なのかを問題とした。

川村は、契約の実行有効期間内は契約債権であるのだが、契約に違反した時点で、契約債権は債権者の所有に転換し、①の所有に基づく請求権となることを明示したのである。答えは、「債権の上の所有権」は、法理論としては、「債権編」の問題ではなく、「所有権編」の問題なのだ、と明示したのである。日本の解釈学なら、「債権編」の問題として解くことになるだろう。そういう違いが出てくる。川村は、法構造という「構造」にうるさい人物だった。

世界を見渡しても、「法論理学」の開発者は、沼正也教授ただ一人であった。同じく世界を見渡しても、「実用法学としての民法学」の開発者は、川村泰啓教授ただ一人であった（川村は、川島の一番弟子）。川村がドイツに留学研究していた時には、ドイツの法解釈学の非科学性を堂々と主張して、帰国したのである（養老が西欧科学を批判したのと、同質であろう）。

法解釈学は「科学としての法律学」ではない

我妻栄は、所有権と債権を対置するという、民法典の間違った構成要素をそのまま受け入れている。所有の対置概念は債権ではなく、契約だというほうが正しい。我妻解釈学では、商品論が踏まえられていないのである（部分知だ）。いいかえれば、経済と法との関係（法は経済の翻訳だという点）が踏まえられていないのである。法律科学としては、川島、川村理論が正しい。なぜなら、川島、川村理論は、資本主義論、商品論が踏まえられているからである（この理論の原点は、マルクスの『資本論』にあるのだが。川島、川村は全体知を求めていたのだ）。

我妻法解釈学には、資本主義経済という経済ベース（土台・下部構造）から、法理論（上部構造）を説き起こすという視点がなかったのである。すでに民法典が与えられているものとして、法典を無条件、無批判に受け入れた（科学としては、この点を疑わなければならないのだが、我妻は疑ってはいなかった）。我妻は、民法典をそのまま受け入れた上で、ただその各条文の意味を解釈するだけなのである。我妻は、この解釈では大家（神様）だったのであるが。すでにドイツでできあがっていたコンメンタール方式＝逐条解釈学方式なのだ。我妻民法では、民法の構造と機能＝動的平衡理論が取り扱われてはいないのである。そういう点で、科学としての法律学ではないのである。だから、司法試験合格者は、科学としての法律学などは何も知らないことであろう。

科学としての法律学を知らないために、今でも、「いくら法律があろうとも、解釈でどうにでもなる」という政治家的、官僚的な思考が、伝統・慣習として続いているのである。自衛隊を軍隊にすることなどは、解釈でどうにでもなる、という思考法。安倍前首相がその解釈論の先頭を走っていたのである。逆に解釈次第では、何をしても軍隊にはできないということもあるだろう（現在の野党では、軍隊にできないという優れた解釈は持ち合わせていないように見える）。

日本的な解釈の常識が大いに発達してさえいれば、日本では、誰でもが裁判はできるのである。わざわざ司法試験などはしなくてもよいのである。川村が若いころには、我妻教授は常識の大家・神様だと思っていたという話を、私はよく聞かされたものである。我妻は、優れた解釈能力の持ち主だったのだ。

私は、我妻「民法特殊講義」で四単位を修得した。その理論はあまり記憶していないのだが、人間性というか人格の高邁さには、川島よりも、感動した記憶がある。当時、岸信介首相（安倍前首相の母方の祖父）が安保条約を強引に継続しようとして、日本の世の中が混乱した。このとき我妻は、「岸君、魚釣りにでも行かないかい」といって、岸首相を冷静にさせたことが有名になった。これが、我妻の人格というものである。我妻でなければ、そのようなセリフはいえないのだ。川島なら、いえないだろう。

日本の常識とは、原告ないし債権者と、被告ないし債務者のいい分を足して二で割ることである（これが、日本的な常識。この割り算では、裁判官の自由な心証＝主観が入り込む。法科学的な客観性が無視される）。我妻は、これを衡平の原理という。衡平思考＝足して二で割るという常識の実際なら、解釈者＝国民の数だけある。これでは裁判にならないから、特に裁判官を決めて、彼に判定をまかせるのである。そのためにわざわざ国家試験を行うのである。検察官や弁護士には国家試験は不要だと、私は考えている。やる気のある人にやらせればいいのではないか、ということである（やる気のある人は登録するという、登録制でよいと思うのである）。

足して二で割る典型が、示談である。欧米では、示談はない。徹底して法律を盾に取るのである。法律だけが、拠り所なのである。ドイツでは、イェーリングが『権利のための闘争』を主張していた。たとえば、裁判で、貸金一〇〇万円を取り返すのに、裁判費用を二〇〇万円使ってもいいから、私には権利があるのだ、と主張したいのである。誇り高き人々なのである。示談の余地がない。日本人は、権利に対して誇りなどは何も感じないのである。

示談か法律かの日常的な問題としては、道路交通法違反の場合に、よく表れている。日本ではまず示談をしたがるのだが、アメリカではただちに道交法に従うのである。そうすると、アメリカでは、日本とは違った結論が出てくるのである。これ（ただちに道交法に従う）が法治国＝国民国家なのである。その意味では、日本は法治国ではない。示談国なのである。だから、あえていえば、日本では法律はなくても裁判はできるのである（大岡裁きが大先輩となる）。養老もまたは、日本の法解釈学では「科学にはならない」と指摘している。

理論の言葉的表現――動きつつ動かない＝唯一の科学の定義のまとめ――

私的所有の構造は、商品交換法の法則を示しているのである。これは、経済面での資本の構造と機能に対応している。このように経済も法律も、「運動面（動的性質）」と「平衡面（静的性質）」が不即不離に対応しているのである（動的平衡論だ）。

この場合の言葉的表現（情報）としては、単純にいえば、「動きつつ、動かない」と表現できる。これが、「動的平衡」というものである。「動きつつ（動的）、動かない（平衡）」という文形表現だけを見ると、それは矛盾を示している。マルクスの動的理論も生産と生産関係との矛盾を認識していた。しかし、マルクスの図式を見ると「動きつつ、動いている」＝右へ、右へと動きっぱなし、ということであった。つまりマルクスの図式では、情報論から見ると、動きつつ、動かないという矛盾が表示されなかったのである（正しい情報表現になっていない)。

私のいう文形表現の、この矛盾は、資本かつ所有が運動してさえいれば、「動的」と「平衡(静的)」との矛盾は見事に解決されている、というのである。そのことは、図式を目で見るだけでもわかるであろう。目に見えること＝可視化することが重要なのだ(レオナルド・ダ・ビンチは、解剖をする場合には、目の不自由な人に対してだけ言葉で説明せよ。目の見える人には、言葉でなく、図式で表示せよといっていた、と養老は指摘している)。素粒子のように肉眼では見えない物質を扱う場合には(たとえば、物理学など)、特に、「可視化理論」が重要となる。

以上のように、「動きつつ、動かない」＝動的平衡論が、民法の民法学たるゆえんである(経済の経済学たるゆえん、と同じ)。

そこで、①「資本のクレブス回路」(動的平衡論)は、経済学の小法則であり、②大前提と大原理との動的平衡論は、自然科学と社会科学との統一論であるということになる。①と②との統一理論は、「動的平衡論」で一貫しているのである。そういうわけで、科学の定義を求められたら、上のように動的平衡論を説明すればよいのである。

これでようやく、社会科学も、経済学(法律学)も科学になったのである。

世界の自然科学者も、社会科学者も、この唯一の科学の定義＝「動的平衡」論に従えばよいのだ。なぜなら、自然科学の概念＝「動きつつ、動かない」＝クレブス回路の「動的平衡」論が、社会科学、資本主義システムにも適用ができたからである。自然科学の科学概念と、社会科学の科学概念もまた、ずばり一致したではないか。

　改めて定義をまとめれば、唯一の科学＝動的平衡論とは、実体（対象物・システム＝動的、動くもの）を情報化（平衡化、静止化、言葉化、図式化）したものなのである。逆に言えば、新定義＝実体の情報化は、動的平衡図で表記されるということである。

　ここであらためて、二重否定形式＝弁証法を想起しておきたい。それは、「動きつつ動かない＝動的平衡」が、弁証法そのものなのだ、ということである。「動きつつ」と「動かない」とは論理矛盾である。「動き」が「動」の全肯定であり（デジタル時計の針を想え）、「動かない」は「動」の全否定である（文字盤を想え）。この矛盾が実際に存在する・成り立つのが、クレブス回路だったのである。「クレブス回路＝動的平衡＝動きつつ動かない」は、弁証法思考によってだけ発見できるのだ、ということになるのである。結局、脳は、弁証法論的に機能しているのである。

自然科学のいう客観性は科学的ではない

西欧の科学思考・概念への批判

この問題は、西欧で開発された科学概念がそもそも正しいのか、という疑問につながるのである（西欧批判の視点）。結論を先にいえば、客観性＝事物の客観的存在という「考えかた」は、そもそも人間にはできない、ということである。客観的に考えるということ、いいかえれば主観的には考えないということ、そういう考えかたは人間には不可能ではないのか、ということである。自然科学者一般が常識としていた「科学の客観性」＝客観物・自然物の中に真理があると考えることは、錯誤ないし誤解ではないのか、という点が問題になるのである。

養老孟司は、従来からの自然科学の「客観性」は科学概念の決め手にはならないと、あちらこちらで批判していたのである。養老はつぎのようにいう。すなわち、「人間科学という見かたでは、いわゆる西欧風の学問への反論という意味合いを含んでいる」のだという（養老『人間科学』一五頁）。西欧の科学がそもそも科学概念を吟味していなかったので、反論する（自己主張する）ということであろう。

科学概念を検討する場合には、そもそも「人間科学」について知らなければならないという点が、前提にあるのだ。神ではなく、まずは人間を見ろ、ないし「自分を知れ」という視点である。「自分を知れ」という言葉は、古代ギリシャの神殿に掲げられていた言葉である。これ（自分を知れ）が、キリスト教の伝来により、神を知れとなった。情報科学は、キリスト教の主張を否定し、古代ギリシャの名言を復活させたということになろうか。

この西欧の吟味していない科学概念を、明治以後今日まで、特には日本の実験学者が「マネ」をしてきただけなのである。養老をいじめたという、東大医学部の実験学者たちも、「マネ」をしていただけではないか、ということがわかってきたという。養老は、いじめられる理由ははじめからなかったのだ、と不満をさらけだすのである。

科学の客観性とは何か　――脳論を対置する――

そもそも客観的思考の「客観」とは何かが、検討されなければならないのである。「客観はイコール主観的でない」といえるのか、どうかが、吟味されなければならないのである。これまでの自然科学者は、客観ないし客観物（たとえば自然の物質）とは、まずは、人間の意識に関係なく存在しているという意味で理解をしていたのである。たとえば、地球という自然物は、人間が出現する以前から存在していた、つまり人間の意識に関係なく存在していたという認識のしかたが、客観的だというのである（キリスト教圏では、万物は神が創造したのだから、自然物の存在は人間の意識には関係なく存在していると考えるのも当然なのだ）。

そこで、客観物（たとえば地球）の真理は、客観物・地球の中にある、と思うわけである。その真理を発見しようというわけで、研究を開始するのである。この真理発見の思考法を、これまでの自然科学者は、客観的思考＝科学の客観性といっているのである。実はここに、すでに、間違いのもとが潜んでいるのである。

養老は、これまでとは違う見かたをした。養老は、客観物自体の中に真理が内在している、とは考えなかったのである。養老はまず、客観（自然物）と、それを見ている自分とを、対応・対置させたのである（自分と対象物と。後述の名実論争を参照）。

そして、対応における客観（自然物）を、「自分ならどう見たらよいか」（考えたらよいか）というように、自分の側の見かた・考えかたのほうを調べたのである。調べて見たら、客観（自然物）は、自分の五感・脳に投影されている姿だ、と気がついたのである。五感・脳に投影されなければ、何事も存在していない、と見た（養老の考える脳論的存在論、認識論）。

まず脳が存在していて、脳に投影されてはじめて、客観（自然物）が存在する、と見た。脳に基づかなければ、客観物に客観的真理があるのか、ないのかは、人間には「わからないのだ」という。まずは、自分の脳が働いているということ、投影物の存在は脳が情報処理をした結果だということに、気がついたのである（当然に、キリスト教の神の存在も、人間の脳が考え出した情報だということになる。仏教の仏——たとえば大日如来も空海が発明した観念・情報だ——も人間の脳が考え出したものだ）。もしも脳が無かったならば、もしも脳が働かなかったならば、客観も真理も関係がない（神も如来も人間には関係がない）と見たのである。

ここに、脳論が確立する。この脳論の問題が、いいかえれば主観＝主体性の側面が、これまでの自然科学者の意識からは、スッポリと抜け落ちていた部分なのであった。

脳論とは何か

客観物に真理があるかどうかは、結局、自分の脳が決めていることだ、というわけである。これを、脳が意味を付与する（創造する）というのである。真理を発見したとすれば、それは、自分の脳がそういうものとして発見したのだということになる（クレブス理論は、自分の脳の中にある）。

ここでわかるように、客観自体に真理が内在しているという発想はゼロなのである。客観物が人間の意識に関係なく存在していると思ったのは、自然科学者の脳が、そのように思った・脳が機能しただけのことなのである。この思いかた、考えかたが、自分の脳の機能だということに、気がつけばよいのである。どこまでも、自分の脳が機能＝情報処理をしている、ということである。

だから、客観（自然物）のすべては人間の脳・意識・思考に関係しているということになる（従来の自然科学は、自然は脳、意識に関係なく存在しているとしていた。逆になった）。これを養老は、真理は客観の側にあるのではなく、「真理は自分の側（脳）にある」といったのである。この点は、いいかえれば、主観を肯定していること、主観的に見ていること、また、それしかないことを示しているのである。

さきに見た川島武宜を、もう一度、取り上げて見よう。川島の法社会学はマックス・ウェーバーの「法社会学」をベースにしているのだが、その川島は、主観、客観、客体という三用語を重視した。主観は主の観《み》かたであり（主は自分のこと）、客観はお客の観かたであり（お客は他人のこと）、客体は即物的な思考の対象物（自然や社会）だというのである。

たとえば客観については、私の主張・主観に百人が賛同したら、百人の客観性がある（百人の主観の合致、百人の考えかたの合致）、という使い方をするのである。川島も『所有権法の理論』構築の場合、「即物的思考」をしていたという点では、「真理は客観の側にある」ということができる。川島がマックス・ウェーバーに転向してからは、主観にも配慮しているのである。

結論をさきにいってしまえば、川島はクレブス教授と同じく、脳論＝「真理は自分の側にある」ということなどには思いついていさえいなかったのである。川島の初期の作品・『所有権法の理論』は、マルクスの影響が大きく、即物的思考（マルクスのいわゆる「唯物論」に通じる思考）をしているのである。しかしその後、マルクスから離れてウェーバーに移り、主観を取り入れている。だから、川島を最も批判するのが、マルキストだった。「お前は裏切りだ」というわけである。

マックス・ウェーバーの「社会学」の紹介

川島とウェーバーとの関係を取り上げたついでに、ウェーバーの社会学の概念を取り上げておこうということである（日本のウェーバー理論研究の代表者は大塚久雄である。それは、ウェーバーと同じく大塚がまじめなクリチャンだったことによるのであろう）。ただし、ここでの説明は挿入句程度の説明だと思っていただきたい。私の知っている程度の説明となる。

ウェーバーの社会学に関して、ウェーバー著『社会学の根本概念』（清水幾多郎訳。岩波文庫。一九七二年）がある。ウェーバーの社会学の神髄は、ここに示されているであろう。同著九頁、「第一項」を引用してみよう。すなわち「本書でいう『意味』には、大別して、次の二つの意味がある。（一）（イ）…一人の行為者が実際に主観的に考えている意味、（ロ）…多くの行為者が実際に平均的近似的に主観的に考えている意味、（二）…類型として考えられた…行為者が主観的に考えている意味」である（類型論＝イデアルティプス論の出現。川島、川村は、ウェーバーから類型論を導入した）。（一）と（二）とに共通する点は、「主観的に考えている意味」である。

どういうことかというと、人間の行為は、万人が「主観的に考えていること」のあらわれだ、ということである。主観的な考えには、その人なりの「意味」が内在しているのである。そこで、AさんとBさんとが、互いに自分の「主観的に考えている意味」をぶつけ合い、互いにその意味を理解し合った時には、互いに「了解した」というのである。この「了解」の成立が、AさんとBさんとの二人の具体的な社会が成立したということになるのである。

ようするに、「意味の了解」が、ウェーバーの「社会学」上の根本をなす社会学概念となるのである。だから、マルクスのような客観的思考は、社会学上の概念にはならないと、反論したのである。私は、ウェーバーの社会学は、「意味了解社会学」（主観的社会学でもよいかも）であると、理解しているのである。ウェーバーの「主観的に考えている意味」がどういうものかは、養老の「脳論」を踏まえて見るならば、よく理解できることであろう。

実は情報科学視点から見れば、マルクスの唯物論も、マルクスが頭の中で「主観的に考えている意味」の表現＝情報なのである。つまり、マルクスも物質・実体を情報化していたのである。マルクスは、物理学などが大好きで、よく研究もしていたのである（文系と理系との両手使いだった）。当時は情報科学がなかったから、伝統的な主観論と客観論との対立、衝突だったのである。マルクスはヘーゲルを観念論者・主観論者だと批判していたが、その観念論は、人間の脳の思考機能を表現していたのである。マルクスは、ビルディングは建設する前に、自分の頭の中に設計図を描いている、といういい方もしているところがある。この頭の中の設計図が、観念、情報なのである。だからマルクスは素直に、ヘーゲルを認めてやってもよかったのである。

ヘーゲルとマルクスとは、研究の対象物が違っていただけなのである。実際には、マルクスもヘーゲルも、どちらも成立するのである。マルクスは、自然も社会も万物流転するという「実体」の側面を重視していたのである（動論。意識の外側を見ていた）。ヘーゲルは、今の知見でいえば、「脳論・情報論」を議論していたのである（平衡論。意識の内側を見ていた）。そのように見れば、ヘーゲル理論とマルクス理論とは、統一できるのである。現在の知見からは、ウェーバーもまた、マルクスを排除するような批判はしなくてもよかったのだ、と私は思うのである。ヘーゲル、マルクス、ウェーバーの三者は、情報科学から見れば「統合できる」ということである（当時はまだ情報論がなかったので、何かにつけて対立していたのだ。総合する基準＝動的平衡論があれば、解決していたのである）。

AさんとBさんとが「意味了解」をしたら、社会関係ができあがるのだが、養老なら、Aさんの脳とBさんの脳とがつながったのだ、というのでる。そこで養老は、脳つながりのために、社会とは「脳化社会」だ、というのである（脳化社会は、「都市」が形成されてからの社会で、本領を発揮する）。この場合の脳化社会については、養老『いちばん大事なこと』の各所で詳しい説明が出てくるので、参照してほしい。特には、「現代社会は脳化社会である」（四五頁）の前後の参照を。脳化社会は、脳内社会といってもよいであろう。

そうすると、脳外事項＝自然を忘れてしまいがちになる。いいかえれば、「心」・意識がすべてとなり、「身」・自然を忘れてしまいがちだということである。この点が、要注意事項となるのである。結論は、心・身の統合・バランス思考をせよということである。

続・科学の客観性批判

科学の客観性批判の続きを、議論しよう。客観性＝客観的思考＝即物的思考も、脳論・情報理論から見れば、自分の脳の機能＝情報処理＝主観でしかないのである。考えるという場合には、主観的な考えかたはあるが、主観的でない考えかた＝主体・主観から離れた考えかたは存在しないのである。私から離れた、私の思考はないのである。もしあれば、幽霊が思考していることになる（かつてヨーロッパでは、脳の幽霊論＝脳に幽霊が住み着いているという理論があった）。身体（自然）を忘れて、心（意識）だけが動き回ると、まさに幽霊になるのである（身体には足はあるが、心には足がない）。思考といえば、主観的な思考しかないのであるが、ただし、身体＝自然も忘れずに、ということなのである（幽霊論は、心・身のバランス思考が欠けたものなのだ）。

自然科学者のいう客観的な考えかたはまちがいで、つまるところ自分の主観の結果だ（自分の情報処理の成果だ）、という意味であろうと、私は受け止めている。主観を前提しない客観は存在しない、ということである（後述の「情報科学の第三段階」で再論する）。主観や客観が何であるかについては、脳論＝大脳の仕組み（構造）とその機能を持ち出さなければ理解できない、ということなのである。脳を持ち出すという点で、脳論・情報科学が大きく顔を出すのである。脳論・情報科学を知らずして、主観、客観は理解できないのである。結局は、脳が機能して、その脳が物の意味を付与するだけなのである。これが、「人間科学」の原点なのである（神など必要がない）。

たとえば、脳の機能の一つに、「考える」という働きがある。脳が考えるからこそ、人間は脳に投影された物体を見て、「あれは木だ」、「木は植物だ」、「植物も細胞からできている」、「細胞には遺伝子がある」等々というように、意味・概念を付与・創造していくのである（情報化である）。地球は五〇億年も前から存在しているという説明も、自分の脳が資料を集めてそのように情報処理をしただけのことになるのである。意味付与は、脳・主観の機能なのである。付与された意味を情報の本体という（ウェーバーのいう「主観的に考えている意味」に当たるであろう）。

キリスト教圏では、神が主役である。万物を作ったのは神だという前提がある（神の作品である万物は永遠であり、流転しない。鴨長明とは正反対だ）。だから、例えば木も神が作ったのである。ここにすでに、木自体に神の意思が木という意味を付与しているから、研究者は、神によりあらかじめ付与されている木自体の真理・意味を間違いなく引き出せばよいと考えていたのである（情報科学では人間が意味付与をするのに対して、キリスト教科学なら神が意味付与をしているのだ。だから西欧の研究者は、木自体＝客観・物質の側に真理があると思うのである）。真理が自然・客観の側にあるという思考法は、実は、キリスト教に基づく科学思考からきているのである。

キリスト教の神は不親切であるだろう。科学者が木の意味を研究する前に、神は研究者に、木に対してこれこれの意味を付与しておいたよと、親切に教えてやればいいではないか。そうすれば、多額の研究費をかけて、長い時間をかけて、苦労をして研究する必要はないのである。

この宗教性を差し引くと、木自体の意味は認識できるのかどうかが、問題になる。問題点は、①木自体の意味はわからないとしても、人間の側から意味を付与するのだという情報科学と、②木自体はわかるのだというキリスト教科学とが、分裂してくるという点である。情報科学では、概念はすべて、脳が生み出すものという考えかたである。結局、情報科学と、キリスト教に基づく科学とは、養老なら「仲が悪い」というのである（キリスト教科学批判だ）。養老は、この違いを、明確に説明しているのである。そういう点で、養老理論は、西欧の科学論批判を展開したものなのである（独自性）。

「物自体の意味が分かるのか」については、早くにイマヌエル・カント（一七二四〜一八〇四）が議論をしていた。カントは、「物自体は認識できない」という結論を出していた（木ならば、木自体のことはわからない、ということ）。カントの認識論の特徴は、神を否定したところにある。神は全知全能だから、木なら木のすべてを知っているのだろうが、人間の認識はそうはいかないと見ていた。人間の認識は、時間と空間という二種類の条件下でしか認識できないというのである。神は、この時間、空間という条件以外の、ないしは条件以上の場合をも知っているだろうから（何でも知っているのだから）、神の認識範囲は人間の認識範囲よりも大きい。この神の大きい認識を、カントは、「神は物自体を知っている」ということになる。そうすると、人間は「物自体は認識できない」ということになる。いいかえれば、「物自体」の一部分なら認識できるということになるだろう。これを簡単に、人間は「物自体は認識できない」といっているのである（カントは、「神のみぞ知る」思考法を否定・排除したのだ)。

この二種類の時間、空間という条件は、人間がものごとを経験する前に、あらかじめ前提しておかなければならない条件・概念だと、カントはいう。いいかえれば、ものごとを経験する前に、あらかじめ時間、空間条件を前提するという意味で、この前提論を先験論というのである(ア・プリオリともいう。経験に先立つ論の意味。カントの①『純粋理性批判』、②『実践理性批判』、③『判断力批判』の三部作を参照)。

先験性を、カントはまた、思考の形式ともいい換える(先験的認識論＝時間・空間的認識論)。人間の認識は、時間と空間(先験的前提条件)という思考の形式に従ってだけ認識ができると、主張した。そこでカントは、結局、人間の認識問題を議論する場合には、神などは必要ではない、という決定を下したのである。神を否定したところに、カントが近代哲学の草分けだという評価にもつながったのである(現在の情報科学の時代では、過去の哲学議論は、もう引き合いに出さなくてもよいであろう、と私は思うのであるが)。

英米の経験論の概要 ―ヨーロッパ大陸思考との分裂―

若干、横道にそれて見よう。イギリスでは経験論が主流であった(カントは、先験論を前提しなければ、経験論は成立しないという立場だが)。

経験論は、フランシス・ベーコンに始まる。その前提には、ロジャー・ベーコンの主張があった。ロジャー・ベーコンは、「実験や観察」をして、その結果を「経験知」とした。フランシス・ベーコンは彼を受け継ぎ、「知は力なり」と主張した。「経験知」=「知の力」とは、人間が自然に服従してきた過去を乗り越えて、「自然を支配する力だ」と考えた。支配の方法は、「技術能力」の活用である。技術能力は偉大なり、と考えた。

この人間の偉大さは、ベーコンはまだ、神の心が与えたものと思っていたらしい。しかし経験論の樹立は、これまでのヨーロッパ哲学の世界で、長々と議論されてきた存在論だとか認識論だとかの伝統的議論(いわゆる形而上学)を見捨てる、ということになったのである。ここに、文明思考=人工思考が自然性を無視ないし排除するという理論が完成した、と私には思われるのである。

結局、イギリス人とヨーロッパ大陸人との思考が分裂した。大陸人はまだ、自然論を引きずっているのである。たとえば、J・J・ルソーが代表的である。

当時の自然科学では、自然機械論が普及していた。「自然とは、みずから物を生み出していくものだ、ちょうど機械が製品を生み出していくのと同じように」と見ていた。ベーコンは、この機械論に対してさらに技術能力や精神力を優位にあるものと考えた。つまり、実験・観察——経験知——「知は力なり＝能力優位」と考えたのである。その後、ジョン・ロックが経験論を完成させたと見られている。

アメリカでは、実験方式＝経験知（経験論）を受け継ぎ、パース、ジェームス、デューイが出現した。最後に、ローティが出現した。彼らの思考法を、プラグマティズム（実用主義）哲学という。プラグマティズム思考は、何事であれ状況にあったしかたで、問題をす早く処理し、ものごとを深く考えるよりも、実質的な利益の追求に専念することが肝心だ、と考えたのである。

パースは、実験を中心にした「推測と検証」を探求するとした（実験主義。パースを旧実用主義といい、ジェームス以後を新実用主義という。新実用主義は、イギリスらしさを越えてアメリカらしさが明瞭になる）。ジェームスもまた実験主義は前提であり、実験をする場合には、信念を基礎において満足のいく行為をすることだといった。ジェームスは「信念」を重視し、「信念は真理である」と考えた（信念で突っ走れとなった。突っ走ると、心・意識優位、身体〈自然〉劣位のアンバランス思考となる。プラグマティズム哲学は、自然と人工とのアンバランス思考となる）。ここに、科学信念ということを考えたのである。

デューイは、パースとジェームスをひとまとめにして、実験的精神を、なんにでも広く応用することを主張した。科学だけではなく、教育にも、芸術にも、ビジネスにも実験思考を押し広げた（ビジネスにおける「科学的管理法」の出現。ソ連の革命者・レーニンも、革命後に、アメリカの「科学的管理法」を導入して、ロシア時代の遅れていた資本主義を前進させようとしたのである。これが、ソ連では不評を買いレーニンは失脚した）。

ローティは、以上をふまえて、近代西洋哲学の破産、を宣言した。彼は、ヨーロッパ精神一元論を捨て、多文化の共存を主張した。異文化には対話方式で創造的な思考をしたほうがよいといった（しかし、ペリーも、マッカーサーも、ブッシュも、トランプ大統領も力ずくで、対話方式ではないように見えるが。文句があるなら、いつでも核ボタンを押すぞ＝力の強制が感じられる。グリンピース集団を想起せよ）。

ここで、養老の説明を参考にすることになる。養老は、「経験科学における言明は、つねに「仮の」言明である」（『人間科学』九二頁）という。思考はみな、仮説であるということになるのだろう。専門家なら、実験自体が仮説なのであろう。だから、ポパーのように、仮説を検証するという「検証」思考が必ずつきまとうのである（養老は、ポパーの「検証思考」をどうやって検証したらよいかを考えたら、頭が痛くなったという）。しかし、英米思考には、脳論がなかったのである。

養老は、経験科学も、実は、情報系なのだというのである。つぎつぎと仮説（仮の言明）を立てるのは、計算者の立場・事情・環境が変わっていることを指摘する（万物流転するのだ)。仮説は、その時その時の情報なのである。ここでは、これ以上は省略する。英米人とヨーロッパ大陸人との思考法が以上のように分裂し違うことは、お分かりであろう(ヨーロッパ精神についてはまた、歴史の章で扱う)。

科学思考は相対的である

話を情報論に戻そう。私があるものに、ある意味を付与したからといっても、もしも他人が同じものを見て異論を提示する可能性を否定してはいけないのである。なぜなら、万人の主観を肯定しているからである。ここから、話がややこしくなるので、注意が必要である。

このややこしい点について、養老は、つぎのようにいう。すなわち、自分と他人とが同じ物を見ているつもりでいても、厳密に見ると(現在の自然科学は厳密に見る時代だから。千分の一ミリ、万分の一ミリの違いを見る時代だ。二人の人が並んで太陽を見ていても、自分の目の位置と隣の人の目の位置とは三、四〇センチメートルは離れている。結果としては、二人が見ている太陽の位置が違うことになる)、同じものを見るということは不可能なのだ、というのである。どういうことかというと、自分と他人とが、同一時間に、同一場所にいて、同一物を見るということは不可能なのだということである（養老『ぼちぼち結論』（中公新書）の「公平・客観・中立」（四七頁）以下で詳しく説明している）。

厳密に見ると、各人は、見る視点、見る時間、見る角度、経験、立ち位置等々が違うので、見えかた（見えたもの）が違ってくるという論理があるのである。同じものを見ているという常識的な見かたが、そもそも間違いなのである。世界で七〇億人いるならば、七〇億種類の見かたの違いがあってもよいのである（相対性）。

だからコミュニケーションでは、異論が出てくるし、出てきたら、結局は、意見の突き合わせをする（互いに相手の情報を翻訳し合い、了解し合う。了解ができなければ、物別れで終わりだ。ウェーバーの社会学概念でいえば、社会が成立しない）。この点では、人々の認識は相対的であり、絶対ということはないということである（私の意味付与が絶対に正しいということはない、ということである）。

宗教が神など絶対者を持ち出したのは、人間が絶対を求め出し、絶対者になりたがったからだ、という。そこで、人間が百人いるとしたら、百人とも絶対はあり得ないとして、百一人目を創設し、それに神と名付けたというのである。キリスト教は、百人の人間と百一人目の神との間には、越えられない壁を建てたのである。つまり神は百一人目であり、絶対なのだとした。だから、人間ならみな相対的なのだという説明になるのである。

さきに、グリンピース集団の自然原理主義について触れた。彼らが自己主張することは結構なのであるが、彼らの思考にはすでに絶対思考が紛れ込んでいるのである。自己主張を神がかりのように徹底すると（グリンピース集団は問答無用なのであり、だから捕鯨船には武力的に挑んでくるのだ）、その主張が絶対のものになってしまうのであり、そこでダメが点灯するのである。自由原理主義も同じことである。

物理学では物質の究極の姿を、素粒子と呼んだ（還元論の現在の到達点）。物理学者は現在では、素粒子をさらに二分できるのではないかと考えているという。素粒子論が実体論であれば、素粒子もまた変動し続けるだろう。二つにも三つにも変化するかも知らない。素粒子は究極の物質＝普遍物（不変物）ではないということになる。この理解は、研究者の脳がそのように意味を付与したのだということになる。物理学の研究成果・表示（数式表示や言葉表示）は、情報であり、相対的なのである。

養老は、「物理学は人間による世界観の一つであり、人間を消してしまえば、素粒子がどうであろうと、関係はない」という（『人間科学』一八頁）。養老は、脳論（主観の肯定）一本でいくのである。「人間を消してしまえば」ということは、脳＝主観をなくしてしまえばと、同じ意味である。脳を消せば、世界観＝物理学も、客観も消えるのである。ミミズは脳を持たないから、物理学は考えないだろう、というのと同じことだ。ミミズには、物理学は存在しないのである（ブラックホールもニュートリノも、脳のないミミズには関係がない）。世界観＝物理学も、脳が作り出している情報だということがわかるのである。

相対的思考だから、将来また、物理学について別の意味が付与されてもよいのだということである。有限であるが、確かに、ある年数は法則としての有効性はある。しかし、その法則は、永遠に正しいということはない。未来に（明日に）また、別の主張が出てくるかも知らないからである。いいかえれば、未来に向かっては、つぎつぎと新たな見かたが生じてもよいということなのである。アインシュタインの「一般相対性理論」（一九一六年）は、発表当時は誰もが、未来に向けても永遠に正しい理論だと思ったことであろうが、最近ではすでに疑い出している学者もいるという。それでよいのである。

現在の自然科学は厳密に見る時代であるから、同じく厳密に見るならば、たとえば人間は生まれてから死ぬまでの間、自分の身体状態は二度と同じ状態を繰り返すことはない（一瞬たりとも休まずに、体細胞を作り替えたり、また老化もしている）、ということがわかるであろう。同じ状態を繰り返さないことを、歴史的一回性といっておいた。

この一回性には、法則はなかったのである。同じように、アインシュタインが見ていた自然状態も、万物流転する＝法則はないということで、変化し続けている。現在研究する人なら、アインシュタインの見ていた時代の自然とは、すでに変化した、異なった自然を見ているのである。

だから、アインシュタインの理論（情報）とは違った理論を考えても、何も不思議はないのである。アインシュタインの相対性理論が永久に絶対的に正しい、ということはないのである（注意する点は、相対性という情報の内容＝紙面に表示された数式自体は、永遠に不変だということである。ちょうど、写真の絵が永遠に不変であるのと同じ）。

まさしくアインシュタインが「相対性」といっているように、「絶対性」はないのである。ただ、彼の一般相対性理論を超える新規の理論が提示されるまでは、法則だと約束していてもよい、というだけのことである（法則は、その時代の人々の約束事である。天動説は、農民・生業者の生活の約束事であるだけではなく、昼行性動物、植物の法則である）。アインシュタインの正しさは、彼が観察していた時代の自然状態をうまく情報化したという、情報化＝法則化の正しさだ、ということであろう。だから、情報化したつぎの瞬間から、自然自体は相変わらず、停止することなく、変化し続けているということになる。

流転の中の不変＝法則の客観的状態性

ところが、脳の機能にはまた、不思議な点があるのである。それは、「万物流転する」

に反して静的側面、繰り返し＝法則を求める、という点である。これを、同一性思考という。人間は、同一性思考をすることもまた、脳の組織上避けられないのである。

生まれてから死ぬまで身体（自然物）は老化してやまないのに（だから、思考も変化するのに）、しかし、たとえば、この自分の身体を「私」だといい張ると、養老はいう。二〇歳の私も、七〇歳の私も、同一の「私だ」というわけである。つまり脳は、動き続ける現象（老化）に対して、同時に動かない側面＝不変性＝同一性という思考をし続けるのである。それは、脳機能がアナログをデジタル化＝不変化＝静止化しなければものごとを認識できないことによる。

デジタル化すると、不変物＝法則＝情報が得られる。それは、変化してやまない脳物体（アナログ）と、静止画像を作るという脳の機能（デジタル）との、脳における矛盾なのである（脳物体・システム＝アナログと、脳機能＝デジタルとの矛盾であり、脳はその矛盾を何とか統一しているのだ。脳はどのようなメカニズムで、アナログからデジタルに変換しているのかは、まだ解決されていない課題だという）。

だから、死ぬまでの一生涯の間、繰り返し「私」であり続けるのである。私という概念は、私が生きている間の、七、八〇年間に通用する、不変の法則なのである（養老『ぼちぼち結論』一五五頁に、「ヒトの意識は『同じ』という強いはたらきであり、それが『同じ』私を生み出す。それは情報としての私であり、だから社会は情報化する。『同じ』しかない世界では、等価交換しか存在しなくなる」という。この点では、商品の等価交換とも同じ次元の論理になる。商品の等価性が、商品を所有する人間同士を「等価性＝平等」にするのである。「違う」側面ならば、情報ではなく、実体論・自然論となる）。

人間は一面では、何事につけてもつぎつぎと法則を見出していくものなのであるが、他面としては、万物流転することも厳然としてある事実・ベースなのである（動く面と、動かない面との両面があることを忘れずに）。

人間は思考をやめないし、生活の営みをやめないという視点で見れば、社会もまた、変動してやまないことがわかるのである。社会もシステムであり、万物流転するのである（社会をシステムと見ている点がポイントなのだ。システムとは、構造と機能からできている）。しかし、変動し続ける社会の中で、資本の法則＝変化しない情報を発明・創造するのである。この法則が、社会制度として、一定期間継続するということになる（新規の社会制度が見つかるまでは、従来の制度は通用する）。資本主義社会制度は、今でも、二百年、三百年と相変わらず繰り返しているのである。つまり、まだ新規の社会制度が見つからないでいるのである。

人間の脳機能は、動くもの（アナログ）を、動かないもの（デジタル）として情報化しているのである。情報の意味内容は、変化することはない。自然科学の思考も、一般的な日常的な思考も、思考という思考はみな、静止的な情報という形でしか表現することはできないのである。つまり、情報以外の表現方法はないのである。表現では必ず言葉（身振り語、表情語、文字も含む）を使う。思考脳と言葉脳とは独自性があるというが（両脳は分業をしているが）、また、視覚と聴覚とは独自に機能しているが（分業しているが）、しかし脳内で統一もしているのである。

視覚＝ニワトリの形と、聴覚＝コケコッコーの鳴き声は、別々の感覚器官でキャッチするが、脳機能では、ニワトリの形＝コケコッコーの鳴き声というように、イコール〈＝〉で結合・統一する。だから、聴覚・コケコッコーの鳴き声を聞くだけで、脳は、視覚・姿を想起することができるのである。こうして誰もが脳で情報処理をして、その情報を他人に出力化、外化・表現化して、コミュニケーションが成立しているのである（養老は、コミュニケーションは脳と脳とをつなぐものという＝脳化社会だ）。すべての現象は、脳機能が働いて、情報として表現する。だから、科学といえば、情報科学なのであり、社会といえば情報化社会なのである。

主観が基点として働き、つぎにその思考結果を出力＝公表・外化することで、情報が主観者の手から離れて独り歩きをするようになり、万人の共有物になったりする。アインシュタインの相対性理論も、一定の時間は（それを超える理論が提示されるまでは）、万人の共有物になるのである。この独り歩きをする段階をさして、客観化したというのである。客観性は、主観的な思考物が自分の手の内から離れて、他人の前に外化され、表現された状態のことなのである。客観的な考えかたとか、主観的な考えかたではいけないといった、考えかた、考える方法のことではない。

第五章

名実論争の紹介

実念論派（孔子）と唯名論派（公孫竜）との論争

世界ではじめて情報論が議論された事例を、古代中国に見るのである。古代ギリシャでソクラテスが活躍していたと同じ時代に、中国では孔子が活躍していた。この古代中国で「名実論争」といわれるようないい争いが生じたのである。それは、孔子派と公孫竜派とが、いい争ったできごとである。

簡単な事例を、あげて見よう。まずは、「テーブルの上に、あるものが置いてある」としよう。今、私が孔子に、テーブルの上のあるものを指指《ゆびさ》して「これは何ですか」と質問したら、孔子は「これは石ですね」と答えたとしよう。私は公孫竜に、孔子が石だといったその石を指指《ゆびさ》して、「これは何ですか」と質問したら、公孫竜は「これは水晶ですね」と答えたとしよう。孔子は、あるものを「石」といい、公孫竜は「水晶」といった。この二人の答えは、そのように「同じもの」について、違った答え・言葉が出てきたのである。この答えの違いが、名実論争の何たるかを示しているのである。それでは、説明を加えていこう。

名実論争の「名」は、名前の「名」（ノミナリズム）である（「名前」は「言葉・文字」で表現される）。名実論争の「実」は、名づけられる「対象の意味＝実」（リアリズム）のことである。名・実の関係は、名前（石とか水晶という言葉）と、その対象（あるもの）との関係である。図示すれば、

対　象（あるものの意味＝実）――　名　前（実の意味を指し示す言葉）
対象物　――　孔子は「石」という名前・言葉を付与した
対象物　――　公孫竜は「水晶」という名前・言葉を付与した

との関係である。これは、「石」という名前・言葉が「対象物の意味＝実」を正しく「指し示している」のか、それとも「水晶」という名前・言葉が「対象物の意味＝実」を正しく「指し示している」のか、ということである。結局、名前・言葉と対象物（あるもの）との対応の問題である。孔子は「私が正しい」といい、公孫竜も「私が正しい」というか

ら、対立し、論争になるのである。

これは、名前・言葉というものは、対象物の「実、意味、概念」を正しく表示せよ、ということが問題点なのである。そういう点で、名実論争は、「意味論ないし概念論」の論争だといわれるのである。

加地伸行著『中国人の論理学』（中公新書、一九七七年。ちくま学芸文庫、二〇一三年）では、この名実論争について、詳しく説明をしている（この種の問題では、必ず加地伸行のお出ましを必要とするところである）。注意するべき点を、加地はつぎのようにいう。すなわち「春秋戦国時代においては、〈名を実より優先させる〉ところの実念論者、〈実を名より優先させる〉ところの唯名論者、となって、ちょっと見た目にはちぐはぐな感じになるが、やむをえない。注意して分別していただきたい」（同書六三頁）というのである。

孔子は「実念論者」といわれ、公孫竜は「唯名論者」といわれたのである（後に見るが、私は、孔子は「名前を正せ」＝「名を実よりも優先させる」ので唯名論者であり、そうすると公孫竜は実念論者だ、といいたいのである。そのように見れば、「ちぐはぐ」の感じはなくなるのだが、当時はそういう見かたではなかった）。

公孫竜の主張から見ていこう。公孫竜は、「個物論」を主張した（公孫竜は、「白馬は馬にあらず」と主張して、有名になったが、その説明は後述）。「個物」というのは、「一つ一つのもの」であり、その形や色や性質が違うという、個別具体的なもの、のことである。公孫竜の、さきの「水晶」という答えは、いろんな種類の石の中の、個別の、具体的な一つを答えたのである。

現在の知見でいえば、自然科学上の「万物流転する」という物体＝実体を答えたのである。水晶が実体であるのは、目で見ることができるし、手で触ることもできるという、形のある感覚物体のことである。公孫竜は、実体を重視したのである（名よりも実を重視する。だから、実念論者だという方がよいのだが。公孫竜は、理系的な見かたをしているといえようか）。

それに対して孔子は、結論としては「正しい名前をつける」ことを重視した（名を実よりも重視する。この点では、唯名論者というべきだが、当時は実念論者といわれた）。正しい名前を付けることの意義は、対象物＝実の意味を正しく調べて認識することだ、とするのである。実を正しく認識すれば、「正しい名前」がつけられるということである。実を正しく認識しようという点では、孔子は、「実」を強調したともいえる。孔子は実念論者だと、確かに言えるところである。問題は、二人が実とは何かについて、見かた、考えかたが違っていたのである。

孔子は、正しい名前の対象は、公孫竜のいうような個別具体的な「個物」のことではなく、すべての個別具体的な石を全部見比べて、その個別性、差異性、具体性、実体性を捨て、唯一のないし究極の「共通性、普遍性、一般性」の意味を主張したのである（実＝共通性、普遍性、一般論）。この共通の普遍的な「石」概念は、すべての個別の石を全部含み込んだ、統一的な概念だと考えるのである。結局、脳があらゆる石という形も質もちがうという「多概念」を抽象して捨て去り、「石」という「一概念」（一般概念）を引き出したのである。すべての石を、ひとまとめにして、「石」という一語で表示したのだ。

公孫竜なら、水晶という名前だけあれば十分で、「石」という言葉は不要だと考える立場である。一概念という意味での「石」は抽象的概念であり、目で見ることも、手で触ることもできない、脳の中で考えられた抽象的な観念・概念の石なのである。孔子は、この普遍的な、抽象的な「一概念」を「実」と呼んだのである。孔子は、抽象的な意味の名前だからといって、公孫竜がいうように無内容だ、無駄だ、無意味だとは考えてはいなかったのである。

孔子は、「石」という名前・言葉で、「実を明らかにしよう」としたのである。対象の意味＝実を明らかにすることは、正しい名前をつける前提作業なのである（公孫竜は、この前提作業の部分を重視していたのだ）。そういう意味では、孔子は結論としては、実よりも「名前・言葉」を重視していたのである。だから私は、孔子は「実念論者」というよりも、「唯名論者」と呼べばいいではないか、と思うのである。

公孫竜は、孔子のいう実は、万物流転する具体物ではなく、抽象的な観念であるから、いってみれば抽象的なものは、無内容、虚無であると見た（ここが孔子と違う）。そんな虚無に名前をつけても、単なる名前に過ぎない、というのである。孔子のいう名前の意義を、公孫竜は実に軽視していたのである。

そこで、公孫竜は、孔子は無内容な、虚無な、中身のない、抽象的な観念を実だと思っていることを、大いに批判したのである（公孫竜は、抽象思考をしなかったのだ）。「実」は、実体・個物しかないのだと考えていたのである。公孫竜が、孔子を「唯（単なる）名（名前）論」＝「単なる名前論」でしかないと批判していたので、批判者＝公孫竜を「唯名論者」と呼んでいたのである（「唯名論者」という表現は、正確にいえば、「唯名論の批判論者」ということなのだ。「批判論者」の語を省略して、唯名論者と呼んでいたのだ）。

だから、加地は「ちぐはぐな感じがする」というわけである。公孫竜＝実体論者＝実念論者といえば、「ちぐはぐな感じ」はなくなるのである。

私の結論は、当時の捉え方ではなく、現在の知見から、公孫竜＝個物論者＝実体論者を実念論者とし、孔子＝共通性・普遍性論者＝一般概念論者を唯名論者としたいのである（表題とは、逆になる。しかし、「ちぐはぐ感」はなくなる）。

ようするに問題の原点は、さきに「図示」した名前（言葉、ノミナリズム）と、その対象（リアリズム）を、どのように関係づけて見るかの問題なのである（意味論）。孔子は共通性・普遍性論者であるから、名前は普通名詞ないし一般名詞を重視したことになる。これに対して、公孫竜は個物論を重視したので、固有名詞を重視したことになる。このように、普通名詞か、固有名詞か、というようにいい換えて見れば、この論争の意義はよくわかることであろう。

中国では春秋戦国時代の昔において、現在でいう情報科学の核心に触れる議論をしていたことを理解すれば、それでよいのである（明治以後の学者たちは、こういう問題をよく調べていた。しかし戦後になると、すっかり忘れてしまって、欧米にのめりこんだのだ。そのために、情報論思考が遅れたのである）。

この点の理解が、大事なのである。名実論争は、現在のいいかたでいえば、情報論論争だったということがわかれば、それでよいのである（専門家でなければ、唯名論者とか、実念論者といった表現に、あまりこだわらない方がよいだろう）。

養老孟司は、普通名詞には不定冠詞「a」をつけ（aは「〜というものは」という一般的な意味になる）、固有名詞には定冠詞「the」をつける（theは「そのものは」という個物の意味になる）のだという。実際に、具体的に存在する石は、個物としての石しかないのである。論理学では、個物・固有名詞は差異の問題（実体論）であり、普通名詞は共通性の問題（観念・情報化）なのだ（通常論理学では、「差異と共通の問題」という）。孔子のいう石概念＝一概念は、目で見ることはできないし、手で触ることもできない、脳の情報処理による総合化作業なのである。

ただし、この観念が、意味論では避けては通れない意義をもっていることにも、注視しなければならないのである。公孫竜のように、軽視してはいけないのである。しかしながら、自然科学のように実体論を研究する場合（実体の情報化）には、公孫竜のいい分は理解してやるのがよいのである。

公孫竜についていえば、「白馬は馬にあらず」といって、個物理論を主張し、有名になった。普通の人は、「白馬だって馬である」と思うものである。しかし、個物論者の公孫竜は、まったく別のことを考えていたのである。

つまり、例題の白馬は普通名詞であるから（「a馬」の意味だから）、目で見、手で触れる具体物・個物としての馬ではない（「the馬」ではない）、といったのである。孔子のように実＝抽象概念では、いろんな馬の実体は捉えていないではないか、というのである。馬にもいろんな色のものがあり、いろんな系統の馬がいるのだから、だからまず、一頭一頭の個物としての馬を区別することが先決である、というのである。すべての馬を個物として区別したら、一頭一頭の馬には、固有名詞が与えられることになる。このように理解してくれれば、孔子の普通名詞（観念化された物・情報）と、公孫竜の固有名詞（感覚でとらえられる具体物・実体）との対立議論だったとわかってくるのである。

日常生活では、もしも普通名詞がなくて固有名詞だけならば、人々のコミュニケーションは煩雑で、スムースには成立しないことであろう。この点では、養老も見逃さないで、その点をきちんと議論をしている。すなわち、差異〈個別論、特殊論〉と、共通性〈一般論、普遍論〉との関係を議論しているのである（『人間科学』参照）。

すべての物質の固有名詞は、その共通性、一般性、普遍性を探れば、一般名詞・普通名詞ができ上る。だから、現在の科学者なら、名実論争はあほらしいと思うわけである。普通名詞と固有名詞とが両立（名実の一致）してはじめて、専門家同士はスムースなコミュニケーション・議論、研究ができるのである。

こういう話では、科学者はつまらない話だ、と思うのであろう。しかし、普通名詞は「総合化思考」（個物の意味をまとめるのが孔子のいい分）でもあるのだ。そうであれば、科学者は、諸科学の「総合化」も思考すればよいのに、そこはやらないのである。これでは、思考が一貫していない。

名実論争については結局のところ、名前に執着し、あるいは個物に執着するのも、どちらも中途半端であろう。現在の情報論から見れば、実《みのり》がなかったということである（実りをあげるには、名実一致論しかない）。

名実論争は中国の伝統である

余談を一つ。孔子と公孫竜の議論の対立を「名実論争」というのであるが、中国は伝統国家であるといわれる通り、二千年以上も後の毛沢東の時代でも「名実論争」は続いた（加地の『中国人の論理学』の副題には、「諸子百家から毛沢東まで」とある）。

毛沢東も、名実論争をしていたのである。毛沢東は公孫竜を支持して、「非林・非孔運動」を大々的に展開したのである（毛沢東の文化大革命。孔子は都市論者であり、毛沢東は農村論者であるために、毛沢東は孔子を排除していたのであるが）。毛沢東は、現在の情報科学という点から見れば、実念論派である（戦国時代なら、唯名論派であったのだが）。

毛沢東の個物論は、中国革命の究極の、唯一の主体＝個物としての革命者を、つまり具体的な革命者は「お前だ」という人を抽出するという思考だったのである（毛沢東『実践論　矛盾論』）。その唯一の革命者に、毛沢東は、ルンペンプロレタリアートという名前（固有名詞）をつけたのである。

もう一つ伝統的といわれるのは、公孫竜と毛沢東との間には、あたかも歴史時間が流れていないかのようである（静止的世界観。岡田英弘は、中国は歴史＝「変動する文化」を持たない国＝「不変の価値観」を持った国だという。後述）。二千年以上前のことを、今でもやっているのである。公孫竜と毛沢東とが、あたかも直接に向かい合って話し合いをしているかのようである。現在では、習近平主席と秦の始皇帝が直接に向かい合って（静止的世界観）、始皇帝様、あなたのように、今は私が中国を治めたいのだと、始皇帝から知恵をもらっているようなものである。これが、中国の一つの特徴でもあるのだ。動的世界思考・世界観がないので、結局は、変動＝進歩思考がなかったのである。

「進歩思考はしません」と宣言していたのが、孔子であった。それが、「温故而知新」という言葉である。念のために言えば、堯、舜、禹といった聖人の言葉が未来を先取りし、見通しているから（不変にして普遍論だから）、いまさら私（孔子）が新しいこと（進歩）など考える必要はないというのである。孔子は、聖人の言葉を知れば知るほど（温故）、その聖人の言葉がなんと未来に向けた新しい意味合いを持っているかを知るのみである（知新）というのである（当時の知識人は、古＝理想と認識していたのだ。「古」は聖人の出現時代。ということは、時代が下るにつれて、世の中が悪くなるという理解なのだ。中国的な末法思考といえようか）。

孔子は、自分が未来を予測したところで、聖人がさらにその先の未来を予測しているという意味である。孔子も、聖人の不変にして普遍の価値観を受け入れているだろう。つまり、古の理想を追い求めていたのである。

多くの日本人は、孔子とは逆に理解をしているのが普通である。これを、「論語読みの論語知らず」というのである。論語知らずの人たちの解釈は、孔子のいい分を孔子に従うのではなく、無意識に、西欧思考的に切り替えて解釈しているのだ。企業の従業者教育で使われる「温故而知新」の解釈はみな、「昔のことを調べたら古いと分かったので、私たちは新しいことが何であるかを知るのである」と解釈している。これが、西欧風＝進歩史観に切り替わっているのである。中国の知識人は、進歩史観は持たないのである。そういう点では、岡田英弘のいうように、不変にして普遍の価値観の国だった、といえるのである。現在の中国の学者やビジネスマンたちは、進歩思考をしているのであり、中国も、じわじわと変化しているのである（漢魂漢才の時代ではなく、漢魂洋才の時代になってきているのである）。特にビジネスマンやエンジニアなら、洋才の摂取に励んでいるのである。

名実論争の現代的有効性

中国の「名実論争」は、現在華やかになり始めた情報化（科学化）論の議論では、避けては通れない、有効な事例を提供していたのである。それは「名」と、「個物（対象）」とは、脳の思考機能がもの・ことを情報化する場合には、不可避の二大要件だからである（①差異と②共通性は、論理学上の二大的基礎概念だ）。つまり脳の情報処理は、もの・ことを詳しく見て（「実」をよく見て）、このものに対しては、このような「正しい名前」をつけるべし、というように働いているのである。このように、もの（物、実＝思考対象）と名前（対象の意味の言葉化＝情報）とを正しく対応させることは、情報化論では不可欠の作業なのである。

情報化理論は、何と何が対応しているかを明示することである。実に対応している名前は、「石」も「水晶」も、どちらも対応していたのである。一般＝共通と、個物＝差異との関係がわかればよかったのである。民法ならば、所有権と債権とが対応しているのではなく、所有権と契約が対応しているのである。一般名詞と固有名詞とはまた、正しく対応していなければならないのである。

名実論争は今から見れば、思考の、情報化の「根本」問題を提供していたのである。だから、孔子も公孫竜も、「論争」をすみやかに乗り越えて、「名実一致論」を構築すれば、世界で最初に情報化理論を開発できたのではないかと、惜しく思われるのである（加地は、当時すでに荘子は、名実論争を乗り超える思考を表明していたという。明治以後の学者は、そういうことはよく知っていた。今西錦司も、老子や荘子の思考法を学んでいるのだ）。荘子は、名実一致のためには、認識論ではなく「存在論」を考えろということらしい。名実対立の次元を超えるには、存在論を考えなければならないというわけである。

しかし当時としては、誰もが名実対立にのめりこんでいたのである。それに対して、荘子は老子と同じく自然論（自然を論理学としては「一概念」と見ていた）の立場だったから、中国では重視はされなかったのである（孔子は都市論＝非自然論者だったのだ。老子論については、諸橋轍次〈『大漢和辞典』の著者〉が詳しい）。

漢字と情報論との関係

なぜ中国では古代から、名実論争が始まったかといえば、それは世界でも特殊な文字＝漢字を使うからなのである。

漢字は、名前（言葉、名詞）とその対象物とが正しく対応しているかを気にしなければならないという性格の文字だからである。養老は、漢字は絵や図画の仲間であろうという（たとえば、象形文字は絵である。対象が正しい絵で表示されているか、の問題だ）。アルファベットのような記号ではないのだ。

現物、個物と、図画（名、文字）とが合致しているかが、特に問題になるのである。公孫竜の個物論は、孔子の名前論を完成させる前提作業なのだ、と見ればよいのである。個物論（差異）の作業が終わったら、孔子の言う一般論（共通性）を検討すれば、正しい名前もつけられるという関係なのである。だから、言葉の対象は、個物論も一般論もどちらも間違ってはいなかったのである。論争は、本当は余計なもの、無駄なものだったのであるが、当時としては思考が成熟していなかったので、論争になったのである。

漢字は図画の仲間であるから、書道のように、芸術化することも可能である。アルファベットでは、芸術・美術にはならない。

科学もまた、名前とその対象との正しい対応を発見する作業なのである（どの分野でも専門用語、用語辞典がある。養老は、解剖学なら一万二〇〇〇語くらいの用語があるという。ダ・ヴィンチ後の解剖学の分野では、図示よりも、言葉・用語を重視してきたようである。用語の重視は、情報化を意味しているためなのである）。現在では、電子顕微鏡まで駆使して、詳細な対応を調べることができているのである。ただし、素粒子のような微細な物質は、電子顕微鏡でも見えない。だから目に見えるようにするためには（可視化には）、数学を駆使するらしい。数理により、物質の形態を探るのである（形態の情報化）。

ダ・ヴィンチは目でよく見て図示せよといったが、今では目では見えないものを扱っている時代なので、数式を使うのだ（アインシュタインの一般相対性理論も、数式で表示されている）。数学は、もともとは形を読み取る理論であったという。現代の可視化理論では、たとえば、『可視化入門』（宮地英生、荒木文明、鈴木喜雄著。丸善出版、二〇一三年）がある。

「発行にあたって」には、「計算力学レクチャーコース（全九巻）を刊行してきた」が、「本書はその新シリーズ」だという。つまり「計算」（数学）により可視化することがポイントなのである。現在の先端を行く物理学は、数学の研究に励んでいるのである。

これで、名実論争が情報論だと分かれば、自然科学、社会科学の基礎にも、名実論争が一枚からんでいることには、誰でもが気づかなければならないのである。情報化議論は、古くして新しい話なのだ、といいたいのである。二〇〇〇年以上も前から始まっていた、この情報論、情報科学が、養老の出現でようやく結論が出てきたということなのである（西欧思考ではキリスト教が介在したために、情報科学という結論が出せなかったのだ。だから情報論の元祖は古代中国なのだという点を、忘れてはいけない。日本の学者は、老荘思想をもっと研究したらよいといいたいのである）。

第六章　科学は情報科学により完成する

脳の機能には二種類がある

脳はシステムだから、かならず機能（思考）が働く。機能は、個物と名前を、また事柄と名前を適切に対応させようとして働いていることがわかった。適切に対応させようとする思考が、日常的思考の、あるいは科学的思考の始まりなのである（養老は、脳の機能はデタラメの理論は作れないことを、教えている。脳の機能は、筋道を通すように働くのだ、とわかる（弁証法思考を想え）。ここから、理論とか、理論的という概念が生じるのだ。理論的な思考が理性であろう。つまり理論、理性は脳の機能であるのだ）。

養老孟司は、脳の思考機能を二種類に整理してくれている。その一は、入力と出力をすることである。たとえば、五感が外界の情報源（自然や社会の現象）を入力する（情報源が五感に投影される）。その入力された情報源を脳が情報処理をして情報を作る（観念、概念、名前)。そして、情報が一定の意味のある知識となる。この知識を他人に向けて出力する。こうして、コミュニケーションが可能になる。思考しコミュニケートするということは、絶えず、この入力と出力とを繰り返しているということになる。この繰り返しは外界と脳内を「ぐるぐる回る＝ループ」だと、養老はいう。これを私は、1型思考ということにしよう。養老は、こどもが子どものうちに、1型思考ループをたくさん回転させるという実体験を踏まえなければ、頭のよい大人にはなりにくいという。子どもの1型思考は、自然の中で、自然を相手にするのがよいという。もちろん1型思考は、子どもだけではなく、大人もやっているが。ようするに、情報をかき集めていることになる。天動説は1型思考なのだ。

その二は、外界からの入力と出力を繰り返しているうちに、知識が記憶脳に蓄積されてくる。そうすると、たとえば知識の内容を正したり、深めたりしようとして、思考が始まる。この思考は、外界からの入力は必要ではない。脳内にたまっている知識を取り出して、脳内であれこれと吟味するのである。これは、脳の側頭葉、前頭葉、前頭連合野などの、脳内の中だけで思考が「ぐるぐる回る＝ループ」だというのである。これを私は、2型思考ということにしよう。地動説は2型思考なのである。だから、天動説も地動説もどちらもまちがいではないのである。

養老著『バカなおとなにならない脳』（理論社、二〇〇五年。のちイースト・プレス、二〇一一年）に、外界からの入出力を繰り返しているうちに、「こんどは脳の中だけでも、このループを回せるようになるんですよ」と、小中学生にわかりやすく説明をしているところがある。2型思考ができるようになったら、大人というのである。大人が考えるという思考法は、ほとんどがこの脳内で思考をぐるぐると回すことなのである（2型思考。一人で、あれこれと考えているときがそうなのだ）。

1型思考は、いろんな情報をかき集めることになり、2型思考は、そのかき集めた情報をよく吟味することになる。2型思考では、分析と総合とをバランスよく思考するべきである。もしも科学の定義を知らない人ならば、分析に偏り（これまでの個別専門家など）、あるいは、総合に偏るということになりやすいことであろう。

客観性とは情報化の第三段階（情報の状態・位置）のことである

ここでは繰り返しになるが、大人の情報化の三段階説（私の勝手な説だが）という点を紹介しよう。研究者を事例として見ることにしよう。まず最初に、研究者の脳が研究対象をどのように扱うかをあれこれと思考するので、この段階では、主観的な脳内操作の段階であるといえる（2型思考。一人で一所懸命に考えている段階である。見えない分子や原子という物質は、どのようにしたら見えるようになるのかを、あれこれと考える等）。これが、大人の情報化の第一段階である。つぎに、考えがある程度固まると、言葉を使って他人に「どうでしょうか」と聞いてもらうこともあるだろう。あるいは、研究会で発表するとか、著書や論文として発表することがあるだろう。これは、脳内思考物を脳から引き離して、他人の前に出力・外化・表現することである（客観性の始まりだ）。これが、情報化の第二段階である。

外化された表現物（著書、論文、作文、図画、小説、演説、録音テープ等々）は、今度は、発表者の主観・手を離れて、独り歩きを始める。見聞をした誰がどのように利用するかは、本人はわかったものではないということである（拡散し、世間の目にさらされ、料理される）。すなわち、賛同者には受け入れられ、反対者からは批判されるのである。とにかく、自分の手からは離れてしまうのであり、万人のおもちゃになったようなものである（独立物・客観物）。これが、情報化の第三段階である（主観物が客観物に転換する）。

第三段階で、情報化は完成したというのである。たとえば、売店に並ぶ著書、論文、小説、美術品などはみな情報そのものとなり、思考者の手からは独立しているのである。法律なら判決である。判決は賛同、批判の対象物＝客観物になったのである。このように、もの・ことへの主観（第一段階）が完成された情報物＝独立物（第三段階）になったとき、客観物になった（客観化した）というのである。繰り返しになるが、客観性は、「即物的思考」といった思考の方法ではなく、思考物の置かれている位置・状態の問題なのである。

わかりやすくいえば、自作の情報物が手の内にあるか、手の外にあるか、である。結局、手の外にある第三段階の状態が情報科学の客観性なのである。

客観性、コミュニケーション、グローバリゼーション

科学に限らず一般的にいえば、何ごともすべて情報化しなければ、つまり客観物にしなければ、人間同士としてはコミュニケーションができないのである。コミュニケーションは、客観物のやり取りである（養老は、脳と脳とをつなぐという）。互いに相手の客観物・情報を翻訳し合っているのである。翻訳さえできれば、世界中の万人は、コミュニケーションができるのである（現在では、ＡＩ型自動翻訳機が、世界のコミュニケーションの媒介物になりつつある）。

こうして万人は、現在では、グローバル規模の世界に投げ出され始めているのである。

自分についていえば、世界人間の中の自分だ、という時代になったのである。ここに、国家次元を超えている自分に、気がつくのである。今西の「棲み分け原理の中の発散性〈ダイバージェンス〉」は、人間の場合ならば、生誕地ないし国家に拘束されないで、どこの国に住み着くかは、あるいは仕事をするかは、さらに旅行するかは、自分の自由な意思で決めてよいのだ、と解釈することができるだろう（今西の原文でいえば、川の下流にいたカゲロウの幼虫が中流域に移住するとか、上流域に移住するように、自由に移住することがダイバージェンスである。ダイバージェンスに対して、コンバージェンス〈収斂性〉がある。ウェーバーのいう「閉鎖性」に当たるだろう）。多くの日本人は、自分の意思で世界人間になることは、苦手であろう（コンバージェンス型だ）。華僑が世界のどこでも住みつけるのとは、正反対である（華僑はダイバージェンス型だ）。

普通の思考とは違い、科学思考の客観性は、世界中で速やかにグローバル化・一様化するのである。なぜなら、科学は、世界共通の科学用語を作り約束するからである。しかし、科学者でない一般的な国民の多くは、世界共通用語を持たないので（国によって言葉が違い、社会通念が違うので）、グローバル化しにくいのである（日本語は、この世界共通の科学用語にはなじまない言葉だといわれている。なじむ言葉は、欧米のような記号語なのである）。

だから一般の人も、ＡＩ型翻訳機器が発達すれば、徐々にグローバル化するであろう。グローバル化しにくい日本の社会通念の一例を、養老はつぎのようにいう。すなわち、日本人は生誕地にこだわる、と。伝統的な日本社会＝「世間」の一員になるのには、生誕地がものをいうのである。日本人資格の獲得は、日本で生まれること、であるという（両親が日本人でも、その子がアメリカで生まれたならば、日本人資格はスムースには取れない。帰国子女というように、ワンクッションを置かれるのである）。

日本で半世紀住み着いた外国人は、半世紀経過しても「よそ者」なのである。日本生まれだけが、「内の者」なのである。日本人は、「内と外」とを区別する。会社の従業者なら、無意識のうちに「内《うち》の会社では…」という言葉使いをするうように、会社でも、内の会社と外の会社と区別しているのである。

日本人の名刺は、この点をよく表現している。自分の職種（機能性）を示すよりも、社名と地位（所属と肩書）を示すのだ。従業者はみな、どこの会社に帰属しているかを、いいかえれば、どこの身内かを区別しているのである（ヤクザの身内と、システムは同じだ。日本の会社は「資格社会」〈養老〉であり、機能的組織ではないのである。最近の経済同友会は、機能型にしようと考え始めているように見える。本当に機能的組織・社会になれば、政治家の派閥は消滅するだろう。派閥や学閥は、資格社会なのだ）。

この身内意識のために、いろんな会社を自由に動き回ること＝中途採用・中途就職＝機能性ができないのである。だから、年に一回だけ、全国一斉に、新人にだけ、就職試験をすることになる（入学試験も、資格社会の証拠である。合格した大学〈社会〉に帰属する。卒業しても、生涯、出身大学に帰属する＝同窓会員は終身制となる。養老は、死亡により、終身制から解放されるという）。そうすると、会社は当然に終身雇用となる。この日本的体制では、会社は利潤を目指すという、会社の機能性は二のつぎになるのである。

外国人は、日本人としての資格は取りにくい（形式上は国籍も取れるようになったが、実質上も日本人にしてもらうことは難しいのだ）。この日本の特質を、養老は「資格社会」だ、というのである（私は、「お上共同体」という）。資格社会のために、日本人はグローバル人間にはなりにくいのである。

日本人にくらべたら、中国の都市人間のほうが、ずっとグローバル人間である。しかし、中国人なら、日本人には見られないほどに「祖国」意識が強いので、親子何世代にもわたって外国に住み着いていても（グローバル人間として生活していても）、祖国のことは忘れない。何年たっても、外国には「同化しない」のである（日本では、外国人を、何年たっても同化させないのとは、正反対である）。

痩せても枯れても、大陸中国が祖なる国なのである。初代の祖父の姓名を維持するために、男・女ともに結婚しても姓名を変えない（夫婦別姓）。また、家系図を書きたがるのである。この点は、秦の始皇帝に始まる万世一系思想の伝統であろうか（最近の若い人達は、夫婦別姓ではなく、夫婦同姓にする傾向が出てきている＝中国人意識の近代化（?）。日本の男女平等を主張する女性たちからは、夫婦別姓を主張している。中国の動きとは、正反対である。現代では、姓名は記号なのである。だから、一番からの通し番号でもよいのである。通し番号にすれば、性差問題はないのである。後述）。

中国人は祖国志向が強いといっても、だからといって、昔から、権力・政府を承認しているわけではないのである。庶民は政府と関係なく、生きていける術を心得ているのである。中国は、政治家の国と庶民の国との、二か国が同居しているのである。これは、中国だけの、長い歴史の変動を反映しているのである（習近平主席は、「政治家の国」を基準にして「庶民の国」を統一したいということなので、国民の意思の統合は難しいのだ。難しいのだが、習近平主席は自分の代で統一したいと急ぐために、独裁権力を振るうしかないのである）。

政治家・官僚と庶民とは二千年以上も分裂してきたので、おいそれとは統合しないであろう。今ではホンコン市民は習近平方式で縛られかけているが、習近平主席のような統治方式は、長期的に見れば、消滅していくことであろう。

情報科学原理は二元論である

話を戻すと、主観者から離れて外化された情報物が、完成された情報となるのである。完成された情報の内容・意味は、永遠に変化しないのが情報の本性である（繰り返していえば、一度撮影した写真の絵＝情報は、永遠に変化しないのと同じ）。情報（の意味内容）は、不変にして普遍物となる。たとえば古墳時代の土偶にしても、いったん土偶として製作者の脳や手から離れて表現化、外化されたならば、その土偶の意味内容＝情報は永遠に不変なものになるのである。情報は変化しないから、現代人が古墳時代を認識したいならば、土偶を一つの証言物・証拠物＝情報として調べることができるのである（もしも情報の内容自体が変化するものなら――たとえば、一月一日の写真の絵が富士山であったのに、半年過ぎたら自然に高尾山に変わっていたとしたら――過去のようすは認知できないことになる。土偶の意味は理解できなくなる。情報は変化しないのだ）。

化石を研究するのも、化石の一面が情報なのである。化石の他面＝物体それ自体は、万物流転する。流転する物質は、自然に風化し分解され、姿が消えていく。だから、分解される前に化石の情報を調査しなければならない。化石を調べるということは、化石という物体に乗っている情報を科学的な用語に翻訳することなのである。物自体は、情報を乗せている乗り物だと見てよいであろう。情報は、化石という物体に乗っているお客さんなのである。

自然科学者が、これまで、客観的に思考せよといってきた思考法＝主観的ではいけないといってきた、その思考のしかたを、脳論＝情報科学から見れば、くどい話になるが、客観的という思考方法はない、という結論に達したのである。客観性は、考えかたの問題ではないのである。まずは主観に端を発し、結果が出るまで一貫して脳内で情報処理をしていたのである。そして、その処理結果＝情報物を他人にむけて提示し、意味了解をはかるのである。提示物・情報が、客観的な状態に置かれているという意味である。この意味での客観性は、もはや疑いの余地はない。疑いの余地をなくした視点が、情報化理論・情報科学だったのである。

養老は『人間科学』で、「システムと情報」(三七頁)に関して、①「脳と言葉」を対応させている(脳＝システムは乗り物で、言葉・情報はお客さんだ)。もう一つは、②「細胞と遺伝子」を対応させている(細胞＝システムは乗り物で、遺伝子・情報はお客さんである)。そして、①言葉と②遺伝子が、情報理論の基礎・基点＝二元的な情報論になっているのである(①脳と②細胞とは「システム」であり、万物流転するものであるが、このシステムも二元論になっている)。養老は、言葉は意識の世界(社会)での一元であり、遺伝子は無意識の世界（自然）での一元であり、合計二元となる、という。これが、情報科学の二元的原理論である（詳しく知りたいなら、『人間科学』を読んでもらうしかない）。

第七章　資本主義に関する若干の言及

資本には「形」があるのか

情報科学の動的平衡論により、資本主義のシステムや社会科学の理論がわかってきた。そこで、資本主義に関する若干の概念について、言及して見たい。

経済学者からはしばしば、資本主義の経済構造といういいかたを聞くのである。経済構造の構造とは、どのような概念・意味であろうか。これが、問題点なのである。構造があれば、その構造は機能するはずである。構造があり機能があるものは、自然科学ならば、物体の、それなりの形があるのである（形態学の成立）。目で見ることができるし、手で触ることもできるのである（公孫竜の個物を想起せよ、である）。それでは、資本の形とは、どんな形なのであろうか。資本の形は、目で見ることができ、手で触ることもできるのだろうか。もしも目では見えないものを観念しようとしたら、公孫竜ではなく、孔子を想起するところであろう。

養老孟司著『形を読む』をもう一度、取り上げておこう。養老は、ポール・ワイスの実験を事例として指摘している（五九頁）。その事例とは、ニワトリの胎児を分子の形になるまですりつぶして、元の胎児との変化・違いを見るというものである。その胎児と、分子になった胎児とを比べると、「物質」（この場合は分子）としては失われたものはないが、しかし何かが失われている、という。養老は、この「無くなったものはまさしく構造だ」というのである。構造がなくなったということは、その機能もなくなったのである。

そこで、構造とは、「分子間の空間配置を主とした、各構成分子のさまざまな関係だ」というのである。クレブス回路図は空間配置そのものであり、資本のクレブス回路も同じである。いいかえれば、「構造はつねに複数要素の存在を前提」とし「いくつかの要素が、組み合わさって構造をつくる」（五八頁）というのである（この構造を「システム」という）。G、W、G'が組み合わさって資本の構造を作るのも、同じである。ワイスの実験では、この構造が、生きている胎児という形（目で見え、手で触れる形態）を作っていることになる。そうすると、形というものは、構造・システムとその機能からでき上っていることがよくわかってくるのである（この意味で、社会もシステムだ）。

資本の構造（構成要素の円形構造）と機能（資本の運動）については、すでに見ておいた

(「動的平衡」理論)。自然科学では、普通に、構造という言葉を使っている。自然科学と同じ見かたをすれば、資本の構造と機能を合わせて資本の、目に見え、手で触れる形が決まることになる。それでは、資本の形はどんな形をしているのだろか。

自然科学上の形なら目で見ることも、手で触ることもできるが、資本自体は残念ながら目で見ることも、手で触ることもできないであろう。目で見えるのは、資本自体ではなく、G・貨幣という物体化した姿であり、それがまたW・商品の姿であり、さらに付加価値を付けた物体としての貨幣の姿なのである(養老は、貨幣は資本のシンボルだという)。

資本を貨幣や商品という物質で代用したのだから、貨幣や商品なら目で見ることもできるし、手で触ることもできるわけである。

しかし、資本自体は、目では見えないし、手では触れないのである。だから、自然科学と同じ意味で、構造という言葉は使えないのである。

経済学者が経済構造と表現するとき、それでは、私のいう資本のクレブス回路の構成要素=構造を認識し、表示、説明しているだろうか(名・実が一致しているか)。その構造の機能を、はっきりと示しているだろうか。そのように見ると、構成要素や機能を、理論的に表示・図示した経済学者ないし社会科学者は一人もいなかったのである(経済の構成要素=G、W、G'の発見者は、マルクス一人であろう)。経済学者には、資本が目で見えるのかとか、手で触れるのかといった疑問は、そもそも考えて見たこともないのではなかろうか。一度、自然科学のいう構造や機能と比較して見たらよいであろう（自然科学上のシステムと、社会科学上のシステムとの、同一性と差異との問題だ）。

経済学者は、自然科学との比較もしないし、明確な新定義も持たずに、構造という用語を使っていたというしかない。たとえば、指導教授が「構造という言葉を使っていたから」とか、著書に「構造という言葉が書いてあったから」という程度の理由で、構造という言葉を使用しているのであろう。

資本と貨幣とは同一ではない。貨幣物体（シンボル）は、資本を表象しているのである。資本自体は、経済価値という抽象的なものなのである。だから、目にも見えないし、手で触ることもできないのである（資本＝元手の本体は能力であるから、能力は目には見えないのだが。後述）。

これには、具体的な商品交換を考えて見ればわかることである。貨幣の五百円とタバコ一箱とを交換するとしよう。これは、貨幣という物体とタバコという物体との、物体同士の交換であることはわかるであろう（物々交換＝使用価値の交換という）。資本主義は物々交換の時代を超えている。だから、五百円という経済価値と、タバコの五百円分という経済価値との、価値と価値との交換になるのである。この価値が相互に等しい時に交換ができる。この価値を交換価値という。そうすると、交換価値と交換価値との等価交換になるのである（これが、交換の原理だ。G＝W、W'＝G'が等価交換）。なぜ、等価交換なのか。不等価交換ではいけないのか。その理由は突き詰めていくと、人間の脳は価値に関しては「同一性」を求めるという働きがあるためなのである。脳は、不等価交換を嫌うのである（脳の同一性思考機能で、すでに説明済だが）。

経済価値という資本の本性は、価値の等価性を旨とする。だから、等価性という価値は目には見えないのである。目に見えるのは、貨幣に印刷された価格・金額なのである。一回一回の交換の価格の裏に働いている、一回一回の交換価値が具体的に金・何円であるのかは、わからないのである。交換価値の額がわかるのは、資本主義が消滅する時点である。具体的な交換価値額は、資本主義が開始してから消滅するまでの、全価格の平均値なのである（交換価値が具体的にいくらであるかは、資本主義が消滅した、その日にわかることになる。それまでは、わかるのは価格だけである）。

養老は、「貨幣はシンボルであり、それを扱う経済はシンボル体系だ」（『人間科学』一五五頁）という。日本人は、「ハトを見ると平和を思い出す」などという。このハトが、シンボルを意味している。平和自体は、目で見たり、触ることはできないのである。それと同じく、経済は意識の世界であり、情報の世界であり、制度の世界であり、法則の世界である。たとえば、古代に資本主義経済が開始すると、同時に、資本主義としての情報の世界（制度）が開始するのである（制度は意識・思考の抽象的な産物だ）。

以上において、資本主義の構造というのは、自然科学の物体的な形の構造とは、話の質が全く違うのである。資本の形は、観念形・情報（資本のクレブス回路図の想起を）しかないのである。ここに、物体形・実体を見る物理学、化学、工学等々の自然科学と、物体形ではなく観念形を見る経済学や社会科学との質の違いが明瞭になるのである。このように、研究の対象の質が違うために、自然科学（物体形・実体系）と社会科学（観念形・情報系）とを分離して、どうしても二分野としなければならない理由も存在しているのである（二分野に分けない思考は、間違いだということになる）。分けることとの科学的な意味は、ここにある（分けることとの必然性がある）。だからまた、最後には総合もしなければならないのである。

分けるという場合には、脳はあらかじめ何らかの全体の存在を前提にしているのである（老荘は、「全体を一概念」と見ていた）。この全体が、さしあたり内容としては不明瞭なので、不明瞭を明瞭化しようとして採用する方法が、「分けて見る」（個物論。差異論。部分知。古代中国の論理学でいえば、「一を分けて二とする」ことである。老荘は、「二を合して一となす」理論＝総合学＝全体の存在論を主張していたのだが）ということなのである。分けて見て内容がわかってきたら、もとの全体へと戻してやり、全体を理解するのである（共通性。全体知。老荘の一概念化）。

この全体の理解が、総合化といわれることなのである。これまでの個別科学は、この全体への「戻し」がないままなのである。だから、個別科学の存在の理論的前提には、一概念＝総合科学・全体学が存在していなければならないのである。私はこの一概念・全体を、大原理・大法則といっているのである（古代中国には全体知の理論があった）。現在の情報科学の大本《おおもと》は、古代中国の時代には、基本的な視点が出尽くしていたのである。その後少し遅れて、ヨーロッパでは、アリストテレスが弁証法を主張していたといえようか。

資本主義、社会科学という個別科学は小法則理論であり、理系と文系との総合は大法則理論になるということである。

資本と資本主義とはどういう関係か

資本と資本主義とは、何か違いがあるのだろうか。表現された言葉を見るならば、「主義」の言葉があるか、ないかの違いである。そこでまず、主義について調べることになる。ヒントは、アルコーリズムの日本語訳にある。そう考えた一人に、伊藤岩（新潟大学、経済原論）がいた。アルコーリズムは、アルコール＋イズムである。日本語訳の場合には、イズムを中毒と訳した。つまり、アルコール中毒である。

これをヒントにして、伊藤は、資本主義は資本中毒のことだ、といった（中毒という意味は、偏る、ということである）。つまり、資本に中毒している人たちがいるということである。資本が資本に中毒することはない。人が酒に中毒しているように、人が資本に中毒しているということになる。では、誰が中毒しているのであろうか。

中毒者は、さしあたりは、資本（原点は能力）を動かす個々人であろう。資本を動かすということは、資本からの利益を手に入れたいということである。資本を動かす行為がいつしか社会に広がると、歓迎者が出てくれば、拒否者も出てくることであろう。拒否者を無視して、資本の運用が全社会的規模（川島武宜の言葉。全国津々浦々の意味）にまで広がれば、もう資本の運動を基礎とした特殊の社会ができあがるのである。特殊とは、資本主義以前にもないし、資本主義以後にもない、資本主義時代だけの社会スタイルだ。これは、歴史的一回性の社会スタイルなのである。私は、社会もシステムなのだと理解しているから、社会も実体となる。ここに「社会科学」も自然科学と同じく「実体の情報学」が可能になる。これが、資本主義社会（資本中毒社会）である。

その社会を現実に維持しようとするとき、どうしても資本運用のルール作りをしなければならないという、現実問題にぶつかるのである。つまり、個人の自由な行為に任せておくと、利害損得の衝突事件が頻出してくるということである。利害損得事件を予防し、あるいは事後解決するルール作りは、法律化するしかない（民法の信用制度を想起せよ）。こうして法律化すると、必然のこととして法治国ができあがるのである（英米も、判例・前例による法治国家だ。現在なら、いろんな成文法もあるが）。

資本主義国家は、資本の経済性をベースにしてできあがっている法治国家である。そこでマルクスは、建築物にたとえて、資本＝経済が土台構造であり、国家制度、法律制度、政治制度等々の制度＝意識現象は上部構造だと指摘したのである（伊藤は、経済土台は「独立変数」であり、上部構造は「従属変数」だといい加えた）。

資本の運用が法治国（まずは、民法と商法＝財産法）を作るようになるのは、資本の運用が全社会的規模に広がったためなのである。川島は、全社会的規模を基準として、個々人の自由な、勝手な行動が、社会制度に転換すると見たのである。自由で無法律状態から法律制度状態への転換は、資本の運動を制度化したことになる。つまり、資本を全社会的規模で容認したという意味になる。ここに、資本運用制度が確立してくる。もういわずもがなで、全社会的規模での人々＝国民（この場合の国家は、「国民国家」だということだ）が、好むと好まざるとに関係なく、資本に中毒させられることになるのである。このように、資本に中毒した社会、国家を指して資本主義社会・国家というのである。

資本が資本主義制度になるということは、その制度が全国民に強制されるということである（制度＝強制物）。大塚久雄は、経済強制といった（宗教強制や政治強制を不純物として排除した新規の制度だ）。欧米はともかく、発展途上国では、すみやかに経済強制を実行するには、難点もあった。たとえば、中国なら伝統のために、現在でも政治強制国家・社会である（政治中毒社会・国家だ）。政治強制＝伝統の権力独裁を前提にした上で、許される限りで、個々人の経済活動の自由を承認している。この制限的な経済活動面を、鄧小平最高実力者は「市場経済」といったのである。習近平主席は、それを受け継いでいる。

政治はつまるところ経済を反映するのだが、伝統の強い国では、政治の形がすんなりと経済を反映していないことがあるのはしかたがない、という時代的段階なのだと思えばよい（習近平主席がホンコンと台湾に権力を振るうのも、しかたがないという一つの段階である。いつまでも続くことはない）。権力独裁の中国といえども、国際貿易では国際ルールに従っている。すなわち、国際ルールに従うということは、本来の資本主義のルールが外国から中国に押し迫っているということである。いいかえれば、独裁的中国といえども、世界に参加したいから、そのかぎり政府も、中国内のビジネスが世界共通のルールに従うことを許容しなければならないと判断しているのである。そういう点で、一歩であるとしても、のろのろしているとしても、経済が政治に反映しているのである。中国は国内の内在的論理から変動するのではなく、外圧によって変動するのである（中国から見れば、台湾、ホンコンの抵抗勢力は、この外圧の仲間である。日本の明治も、日本の内在理論から明治時代を作ったのではなく、外圧でできあがったのである）。

伝統中国といえども、世界の中では、伝統を一〇〇パーセント強行することは、中国の経済発展には得策ではない、という時代的段階に入ったのである。中国の伝統も、一歩は崩壊したのである。のろのろしてはいるが、中国の「政治強制」もやがて「経済強制」に変わる運命にあることを予測させるのである。三〇年後、五〇年後には、すっかり変質しているかも知らないということである（習近平主席は、二〇三五年まで主席の座を維持するということらしい。そういうことも、中国のことゆえに、当てになるかどうかはわからないだろう）。万物流転するという運命には、逆らえないのである（古＝理想、普遍の価値観の中国も確実に変質しているということだが）。

中国は、リーダーが死亡すると、体制がガラリと変化・変動することがある。鄧小平は趙紫陽（後に総書記になる）とともに、毛沢東主席が死亡するのを待っていたのである。習近平も死亡すればとたんに、次期主席は自分の方式にガラリと変更することができるのだ。だから、中国の変動には時間がかかるのである。現在では、江沢民も胡錦涛もまだ生きているから、習近平主席には口出しをしている。しかし習近平主席は、江沢民や胡錦涛を敬遠している。

中国の国民一般は、中国の長い歴史経験から、政府を認めていないのに、現政府には逆らわないという態度をとる。さからえば、自分だけが損をするということを、よく知っているからである（はじめから不服従の人なら、さっさと国外に出てしまう）。国民は政府が独裁であっても、儲かるときに儲けておけばよいという、自己保存本能が身についているのである。だから、欧米のように、全国民が「国民国家」を作るという前向きの思考、行動はまだできないという、歴史的段階なのである。

中国の「市場経済」自体は資本主義と同じである。政治家が権力を独占することは（選挙をしないことは）、いわゆる西側の自由主義、民主主義＝経済強制の側から見れば、追放すべき不純物だということになるだろう。中国は、不純物を含んだ資本主義国家なのである。

たとえばイギリスは、王制国家である。イギリスもまた、不純物を含んだ資本主義国家というべきであろう。中国と同じく不純物を含んでいるが、イギリスを「国家資本主義」とはいわないのである。だから、中国も、「国家資本主義」ではないのである。余計な不純物が、現在のところまだ、権力を保持しているということなのである。イギリス国王から見れば、イギリスの議会は下々の一般国民の集まりの場所である。国王や貴族は、一般国民次元ではないのである。

だから国王は、総選挙で当選していないのに自由に議会に出席して、物をいいたければいうこともできるのである（「君臨すれども統治しない」は表沙汰であって、イギリス人の「ずる賢さ」、「外国の目をくらます」を物語っているのだ。目くらまし＝騙しは、イギリス人エリートの得意技である。目くらましは、イギリス系アメリカ人でも同じなのである。日本をはじめ多くの国の人々が目くらましで騙されているのだから、お人よしだ！の「ひと言」しかないだろう）。

ヨーロッパではまだ、不純物を含んだ小規模の王国がいくつもある。ヨーロッパ諸国も、フランスやドイツのように、共和国にならない限り、不純物は残っているということである（イギリス人のエリートは、「革命」と「共和国」は大嫌いなのである。革命はフランスを意味し、共和国はドイツを意味しているのだ）。

日本は、どうだろうか。日本は一面では資本主義型・民主主義型国家である。しかし、「解釈でどうにでもなる」という思考をする政府（政府を支持する四〇パーセントの国民）の下では、実質上では、資本主義型・民主主義型国家ではない。養老なら「資格社会」だというし、私は「お上共同体社会」だというのである（先には、示談国家といっておいた）。資格社会やお上共同体社会が長期的に見れば、排除されるべき日本の不純物である。

古代（Ｉ型。後述）、中世（II型。後述）の資本主義では、国王、皇帝、貴族、領主、インドのカーストといった身分や宗教が不純物であった（ヨーロッパなら、中世が不純物時代である）。

中世は、身分ある階級の身分階級的機能社会だったのである。この間、資本家は将来に向けて地道に、じわじわと付加価値を追い求めていたのである。近代になってようやく、不十分性もあるのだが、制度的に不純物を取り払うことができたのである。不純物を排除した時点をもって、近代（III型。後述）に変質したというのが正しいいいかたではないだろうか。

近代になってからようやく、純粋の資本主義＝体制内資本主義が完成したと見るのである。資本が芽生えてから完成した姿になるまでには、二千年も必要だったのである（この点は、西洋人の「西洋精神構築史」を見れば、理解できるであろう。歴史の章で、また取り上げる）。

近代では、個々人は否が応でも、制度に服従しなければ、生活ができなくなるのである（全社会的規模での資本中毒）。全国民は、資本を運用して飯を食うか、さもなければ、労働者になって飯を食うか、のどちらかの選択を強制されるのである。一難去ってまた一難である。身分から解放されたが、今度は資本に束縛されるのである。ここに日本では労使階級、労働者階級という用語が生じるのであるが、欧米ではクラスといういいかたをする。

欧米では制度上のクラスが出現する前から、すなわち古代ギリシャ・ローマ時代から、人はみな平等・対等だという歴史経験的前提（文化）があったから、横並び、対等のクラスという理解をするのである。古代ギリシャ・ローマでは、一般的には人は対等・平等だったといわれるのだが、個別具体的に細々と見れば、多くの職業は奴隷が担当していたのである。敗戦国の全員（政治家や学者も）が、勝利国の奴隷にされる。民主主義は一部の自由人の話であった点に注意せよ、である。近代になると、クラスは、労使が集団的に、対等に労働力商品を売買するという集団を指すことになった。

後進国は、対等・平等という歴史経験的前提（文化）が未熟だったので（あるいは、なかったので）、すぐに闘争に走るのである。階級という翻訳は、後進国のいいかたでろう。ドイツは、西ヨーロッパの中では後進国だったから、比較的には階級制、階級闘争があったのである（マルクスが代表した）。日本も後進国だったから、このドイツ方式（ドイツ法）を輸入したのである。それでもまだ日本はドイツよりもずいぶんと後進的であったから、不足分はドイツへと留学して入手しようとしたのである。日本の明治時代なら、イギリスやフランスの方式（法律）は進歩し過ぎていたから、とても導入・輸入はできなかった。しかし研究のために、イギリス法律学校（現在の中央大学）、フランス法律学校（現在の明治大学）、ドイツ法律学校（現在の法政大学）を創設したのである。

日本で、階級闘争として発展した労働運動の主役である労働組合（「日本労働組合総評議会」、略して、「総評」という。総評は、定期昇給制度とボーナス制度を獲得した）は、一九八〇年代に消滅する。代わって主役になるのが連合組合である。連合の方針は、労働条件をアメリカの労働組合方式と同じにすると決めた（労働組合もアメリカの傘の下にはいったのだ）。それは、アメリカの組合から日本の同盟組合へ、アメリカと労働条件を同じにせよ、と強い圧力がかかったという裏がある。労働時間の短縮は、この圧力で決まった。日本人が決めたのではない。総評の獲得した定期昇給制度やボーナス制度は崩壊していく運命となった。生産性向上方式になる。ここから、貧富の格差が開始する。低能力者は、低能力のために、ホームレスになっても仕方がないということになった。つい最近、最高裁は、正規労働者と非正規労働者との分裂を「良し」と宣言した。非正規労働者は、ホームレスへの予備軍のようである。最高裁の多数意見は、「資本を守れ」だけの旧式な思考なのでる（時代遅れだ）。

以後、アメリカと日本の国家同士が、対等に、平等に経済競争をする新時代に入ったのである。ここに、日本でも労使階級関係が対等のクラス関係になったのである（日本は、形式上では、階級からクラスに変わった。しかし、日本では依然として「お上共同体」であるから、実質上は、以前と大して変わりはない。つまり、社長＝お上システムである。以前と大して変わりがないから、ホームレスもアメリカに比べたら、大変に数が少ないのである。実質もアメリカ並みにしたら、日本中ホームレスだらけになるだろう）。

大枠で整理すると、日本の資本主義の変動は、資本の状態がどう変質したかよりも、労動組合の変質を見る方がわかりやすい。すなわち、①階級闘争的段階、②クラス的段階、③クラスも衰退する段階（これから主流となるＡＩ型）へ、というように変動してきていることである。現在は③時代に入ったのであり、機械工業・重工業分野ではオートメーション化、構造転換などに舵を切っているのである。このオートメーションを保証するのが、ＡＩ時代である。したがって、ＡＩ時代は、労使関係も大きく変質するのである。その変質は、労働者は不要になること、ＡＩに向いた理系が主役になること、という変質である。これまでには経験しなかったロボット時代が来ても不思議はないのである。資本は、ＡＩ型資本主義時代に即応した回路を回転をすることになるのである。資本主義としてはまだしばらくは、消滅しない。

資本の本体を追跡する

資本主義の資本（元手）は、G―W―G'のGのことであった。視覚的にいえば、貨幣・お金のことであった。貨幣は、使用価値ではなく、交換価値一般の意味であった。だから、貨幣を持っていれば、すべての、どの商品をも購入することができた。資本主義では、この資本が商品（生産手段、原材料、労働力商品など）を購入した（仕入れ）。これが、資本Gと商品Wとの等価交換であった（民法では契約）。以後、生産段階に入り、ここで付加価値をつけて、その付加価値のついた製品（w'）をまた商品としてW'＝G'の等価交換をして、「，」という利益を手に入れた（販売、契約）。すでに触れたように貨幣資本は目に見えていたが、資本のあからさまな本体（価値）は、目には見えなかったのである。

資本主義以前の時代の資本（元手）は、あからさまに見える人力である。手力、足力、胴体力、頭能力の総体である。たとえば、農本主義時代を見れば明瞭であるが、農民が自分の手で、足で、身体で、頭脳力で、農作物その他生活に必要な一切合切の物資を生産した（自給自足）。牧畜民ならば、自分の能力で家畜を飼育して、肉製品、乳製品を手作りした。漁民ならば、自分の能力で船を手作りし、網は手編みをし、海に出て魚介類を採集した。この時代の資本は、各人の能力ないし共同作業による集団的な人間の能力であった。もとはといえば、人力自体が資本なのである。そこで人類は、人力・能力資本を主義としているということができる。

さらにさかのぼれば、日本なら縄文時代のように、家族単位の人力による生活物資の調達がある。村組織が発達してくると、家族単位は村単位に再組織化される。各人の提供する人力が村組織として組織化され、組織力として機能する。ある一人の人が身につけた能力は、村の大人ならば全員が同じく身につけているのだ。能力の平等確保主義。全員が同レベルの能力を身につけたかどうかを確認する儀式が、成人式だった。成人式イベントで落選した人は、まだ、子どもだと判定されるのである。

以上のようにざっと概観して見ただけで、資本の発生源は人力にあることがわかる。人力があからさまに目に見える段階（資本主義以前の段階）から、資本主義に転換すると、人力の側面が隠されていき（公表する必要がない）、視覚上は貨幣や機械が見えてくるようになる。貨幣は見えるが、人力という姿があからさまには見えなくなってくる。特に発達した資本主義時代（Ⅲ型。近代ないし機械工業型資本主義時代）になると、資本の本領である付加価値をつける生産過程が、企業の私的な工場の中に閉じ込められているなどして、ブラックボックス化しており、外目からは人力が見えにくくなっているのである。

これは、資本主義制度による、「人間の本質の逆転現象」である。本質面なら、人間が制度を作り、社会を動かすのである。しかし、いったん制度ができると、人々はその制度に縛られ、操られる。これを、逆転現象といっているのである。経済面では、資本主義経済制度に縛られるから、経済強制（大塚久雄論）ともいうのである。

その逆転現象を、もう一度逆転して元に戻すと、見えにくかった資本の本体がよく見えてくるのである。本体は、資本家・経営陣・さらには労働者等々といった人力、能力であることは、明瞭となる（企業は人なり、というようになった）。隠されていた付加価値の私的生産点が、いかに人間によって操作されているかがわかるのである。つまり、経営陣の人力であり、従業者の人力なのである（この二種類の人力が、対立、闘争の原因でもあるのだが）。

ＡＩ時代は再び、隠されていた人力、能力があからさまになるのである。ＡＩ時代は、人力、能力（脳の機能）をＡＩ機器に移し替えるために（ロボットに代理させるために）、その移される人力、能力の研究が「あからさま」になる（脳科学の大っぴらな研究）。この「あからさまの能力」をＡＩ機器へと転換するのである。だから、ＡＩ機器の能力を人工知脳ともいうのである。これで、核心部が人力、能力であることが、再び、「あからさま」にわかってくるのである。

かつて、「人間機械論」は機械が人間を支配するので「けしからん」という見かたがあった（機械打ちこわし運動が起きた）。それに対して、養老は、人力を超えるような機械は「素晴らしい」と評価するから、機械を採用するのだ、という。ＡＩ機器採用も、「素晴らしい」から採用するのであろう。もしも、一般の機械が、また、ＡＩ機器が、人間の能力レベル以下であれば、誰も採用はしないことであろう、という理解になる。だから、人間機械論は、人間にとっては否定し切れないものなのだ、ともいえるのである。

資本の本体（原点）はいつの時代でも、世界中どこでも、結局のところ人力・能力なのである。資本の構造である構成要素の回路上で、貨幣や商品という物体化した資本が回転するのは、人力・能力が回転させているのである。製品ないし商品の経済価値の源泉は、いつの時代でも、もともとは身体も含めて人力・能力なのである。そういうわけで、資本の本体は人力・能力である。人力がものをいうからこそ、付加価値という用語ができ上ったのである。マルクスは、剰余価値といったが、剰余価値の源は人力なのである。人力・能力が、物に経済価値を付け加えるのである。

人力・能力は、人間の身体におけるハードウエアの能力と、ソフトウエアの能力との合力である。どんな社会の人間でも、能力を生かして、情報処理をして生産、消費をしているのだから、人間は「情報化人間」といえるのである。人力、能力だとわかれば、本質は人間にあるのだが、制度上では逆転現象が生じて、機械が表に出て、人力、能力が裏にかくされるという点も、わかったことであろう（すでに見たように、私的生産過程は手の内という「わたしごと」であるから、公表する必要がないのだ。隠しておいて当然なのである）。マルクスのG—W—G'の資本の運動では、人力・生産過程は表示されていない。つまり、陰に隠されているのである（公表しなくてよい）。W（商品）仕入れ後のようすを見ると、そこにはP＝私的な生産過程が表れてくるのである。隠されている場所が、具体的な、私的な生産過程なのである。この生産過程の場所で、いわゆる資本家（使用者）と労働者との、あからさまな人間同士の葛藤が行われているのである。この葛藤が表面化したのが、労働運動だったのである（労働運動が表面化しない限りでは、生産過程は隠れたままだ）。

そもそも経済とは何かに一言を

ここで、そもそも経済とは何か、を若干議論しておこう。そもそもの経済というのは、全生物（単細胞から人間までの生きとし生けるもの）の身体が生きていることに、原因するのである。これを、自然経済ということにしよう。地球上に生物がゼロであれば、経済問題は生じない。①身体はエネルギーのストックなのである。生まれ出た時には、あらかじめ親から一定量のエネルギーを身体に蓄えてもらっている。鳥でも魚でも昆虫でも卵を見れば、エネルギーを追加しなくても、何日間は生きていられるのがわかる。それがストックだ。

ここに、「余剰」概念がつきまとっていることも、忘れないようにしたい。親の身体にエネルギーの余剰があることで、この余剰分のおかげで、子どもを産むことができるのである。親に余剰エネルギーがなければ、子どもを産むことはできないのである（生物の進化もこの余剰が原因なのだ）。つまり、種族の維持ができないのである。しかしエネルギーをストックしていても、②出生後には、そのストックを消費する一方なので（コスト）、③エネルギーの追加が必要になるのである。

このエネルギーのストック、消費、追加が、そもそもの経済なのである。細胞内でエネルギーを生産するというＡＴＰ産生が経済の根源になる。人間も、生きているというだけで、経済問題の対象になるのである。経済という用語を、私はそのように意味付与をしているのである。この意味付与は、経済を知るには、単細胞生物の機能のことまでも知らなければならないということである。生物学と経済学との相互乗り入れである（沼正也は、進化論と民法学との乗り入れを考えていた）。生物学がわからなければ、経済学もわからないということである。これが「実体の情報化」の一例だ、といえるであろう。経済という文字自体は、中国語の「経世済民」からきている。

自然経済という場合は、全生物が自分のエサ・食料は、自分で手に入れることをいう〈自己責任。自給自足〉。能力の高いサル類でさえ、子どもがいったん親離れをしたら、子どもがエサねだりをしても、エサを分け与えることはしない（鳥類も同様）。人間以外の生物ならすべてが、自分のエネルギーは自分で保証するのである。完全独立をするのである。エサ確保＝経済の点で見れば、社会的動物ではないのである。今西はこれを、単独生活能力者といった。生物はみな単独で生活する＝社会的でなくても生きていける能力を備えているという意味である（哺乳類や鳥類は、エサ確保以外の場合には、常態として集団的〈社会的？〉な組織、群れを組む）。植物の単独生活能力なら、だれでも、わかりやすい。

サル類は面白いことに、単独生活能力がありながら、普段は集団で生活している。しかし、いざというときにはいつでも、単独で生きていけるのである。たとえば、ニホンザルの一つのムレが集まって食事をする場合では、人間の目からは集団生活に見えるが、よく見ると、一頭一頭の間には一定の距離をあけているのである（ニホンザルのソーシャル・ディスタンス〉。ホモ・サピエンス（さしあたり人間といってよい）のソーシャル・ディスタンスならば、自分を中心点とすると、半径一メートルの円、直径二メートルの円のことである。人間の自然面でも、ソーシャル・ディスタンスがあるのである。

サルならば、一本のバナナを、複数のサルが同時に手を出せない距離をあけているのである（ソーシャル・ディスタンス）。これは、単独で食事をしている姿なのであり、単独であれば食事中に争い・奪い合いは起こさないで済ませることができるのである（この点は、サル研究の伊沢紘生〈今西の最後の子弟〉が白山〈石川県と岐阜県との境界線当たりで〉の野生ザルで突き止めた）。動物園などの人工の飼育場では、単独性が阻害され、エサの奪い合いが起きる。大分県高崎山の半飼育ザルは、一日一食はエサがもらえるので食事時には大混乱となる。強いもの勝ちになる。人工環境では、ソーシャル・ディスタンスが崩壊するのである。ニワトリも小屋内で飼育すると、「つつきの現象・順序制」という、自然では見られない姿が見られる。ニワトりも、放し飼いをすれば、ソーシャル・ディスタンスでエサの取り合いは生じない。

サル類は、単独能力がある点では、サル以前の生物と共通であり、普段は集団（社会的?）でいる点では人間に共通しているのだ（サルの生態は、面白いのだ）。

人間以外の生物には、ニートや引きこもりはない。もしもあるとしたら、それは死を意味するのである。

それに対して人間は、物資の獲得、生産、消費を、脳を使って、制度化して、社会的に生きていくのである（アリストテレスは、社会的動物といった）。今西・生態学は、人間の個々人は単独生活能力を喪失し、集団で、社会的にだけ生きることになった、という（平たくいえば、一人では生きてはいけない生物だ、ということ）。喪失の理由は、赤子が単独生活能力を喪失したことによる。腹を上にして、手足をバタ、バタするしかないという、能無しの状態である。サルの赤ん坊は、母親に自分からしがみつく力があるので、しがみついてさえいれば、母親の自由な行動を妨げないので、母親は、赤子を腹にぶら下げながらでも、単独で生きていくことができる。つまり、夫の協力とか保護は必要がない。夫は相変わらず種付けだけで、単独で生きているのである。

アドルフ・ポルトマンは、人間の赤子は「生理的早産」だから、能無しの状態だ、といった。そこで、母親が子育てにつきっきりになり、単独生活ができなくなったのである（サルの赤子は母親の自由な行動を妨げないが、人間の赤子は母親にしがみつく能力がないので、母親の自由な行動を妨げるのだ。母親がもしも単独生活をするならば、赤子は死んでしまいやすい。赤子が死ねば、種族の維持ができなくなるのだ）。赤子と母親が単独生活能力を放棄したので、夫（父親）がカバーすることになる。ここに、人間の父親は、子どものタネつけさえすれば、後は自由に、勝手に生きるという「単独性」がなくなったのである。夫婦・子どものワンセットは、父、母、赤子の三者がみな単独性を失った姿＝家族なのである（家族は人間だけのものだ）。

この点では、家族社会は「共同体」的に生活をするのだが、資本主義企業＝生産組織は私的所有システムとなり、資本主義としては共同体のメンバーも個人分解（全員の一人一人が私的所有者に分解）されるのである。すなわち、企業家も労働者も「単独生活能力を復活」したのである（個人主義という）。「共同体」というものは、たとえば、父親が食料を調達してきたとき、その食料の調達に参加しなかった母親と赤子に無償で提供する組織のことである。「働かざる者」にも受領権があるのである。これが共同体である。資本主義は、「働かざる者は食うべからず」である。だから資本主義は、家族も含めてすべての共同体（お上共同体も含む）を排除するのである。マルクスはこの家族共同体を、「共産主義のモデル」だと考えたのだ、と伊藤岩は指摘する（家族共同体は共産主義である）。

だから、資本主義システムの担い手には、単独性のない、お上共同体や共同体的な家族は含まれない＝排除されるのである。すなわち、自立した個人＝単独生活能力のあるメンバー（制度的には義務教育修了者）が資本主義に登場するメンバーとなるのである。

企業が家族手当を支出したり、国家が福祉政策をとることは、体制内資本主義＝純粋の資本主義の歴史的段階では、存在しないものなのである。存在してはいけないというシステムなのである。なぜなら、誰もが仕事をしていることになっており、仕事さえしていれば飯が食えるシステムだからである。これを、人工的社会というのである。働いているのに低所得で生活困難者がいるとすれば、それは当人の「能力不足」なのだから、自業自得だと判定される（自分で生きる経済能力がないのだから、死んでもしようがない、ということになる。だれにも、助ける義務はないのだ）。

国家が福祉政策を取り入れたのは、体制内資本主義＝純粋の資本主義時代が崩壊したためなのである。純粋な資本主義＝体制内資本主義が努力をしたところで、純粋の資本主義の構造が崩壊したのだから、もはや常態としては、労働者階級は生活できない状況になったのである。それは、構造的に貧富の格差が常態となったのである。自然（家族共同体）を否定した純粋の＝体制内の資本主義では、資本主義自体が存続できないことが、第二次世界大戦終了とともに結果としてわかってきたのである。

自然を排除していると、資本主義が成り立たないという、一つの限界にきたのである。そこで、純粋の体制内の資本主義が排除していた「自然性」（家族等）を復活しなければならなくなった。復活した家族の働き手＝労働者の労働運動を正式に承認することで、何とか資本主義を維持しようとした。これが、修正資本主義といわれる事態である（大戦後は世界規模で、労働法が承認された）。

破綻の原因が、実は、資本主義システムに内在する矛盾だということである。純粋の資本主義は、個人の自由な競争社会である。しかし競争をすると、その結果は一人勝ち（独占）で競争は終了する。競争をすればするほど、競争をみずから消滅させることになる。

これは、自己矛盾というしかない。修正資本主義は、個人次元の自由な競争を廃止し、国家の設定した条件に基づいて適正に競争するという法式を取った（私権は公共の福祉に従うとか、独占禁止法＝条件付き競争。条件付きという点で、もはや純粋的、体制内的ではなくなったのだ）。

矛盾をできるだけ修正して、資本主義を延長させようとするのが、修正資本主義なのである。マルクスは、この矛盾を資本主義消滅の、一つの目印にしたのである。

そこで、現在の資本主義諸国としては、修正ができる限りは修正をして、生き延びようとしているわけである。拒否していたマルクス理論でも、反資本主義的事態でも何でも取り入れる＝妥協するのである。これ以上修正ができないとなれば、資本主義はおしまいである。現在の歴史的段階は、機械工業型システム（近代型資本主義）から、ＡＩ型（Ⅳ型。後述）資本主義システムへと修正しているのである。現在のところ、ＡＩ型資本主義へと修正する以外の方式は、見つかっていないのである。

家族などの自然論も導入するという、社会主義的要素の導入の段階を越えて、さらに資源問題、都市問題をも修正し、総じて否定的であった自然環境問題についてまでも、これまでの思考を修正しなければならないと見通せるのが、現在の状況である。一口にいって、資本主義も万物流転するには逆らえないのだと自覚しなければならないのである。いいかえれば現代は、資本主義にしがみつくことをやめて、頭を柔軟にして、新規の世界観構築に頭を切り替えろ、と迫られているのである。

資本主義システムの変動 ——総論編——

資本主義社会は、現状がいつまでも続くものではない。個々の資本は日々変動し続けているのであり（三日見ぬ間の桜だ）、そのうちに、資本主義自体が終了し、次の新規社会へと転換していくことであろう。人類はこれからも、二千年でも、三千年でも絶滅することはないと見れば、資本主義が今後二千年でも、三千年でも続くとは思われない。しかし、その「具体的」な未来像は何かと聞かれるならば、想像もできないのである。私は、現在具体的に予測が可能な範囲は、三〇年間から、長く見ても五〇年間くらいかと見ているのである。三〇年後には、ＡＩ時代が普通になっていると予測することはできるということである（一般論としての唯一の科学論＝実体の情報化論という思考方式は、人間が生存しているかぎり何千年でも通用することであろう）。

社会の変動は、社会システムの変動である。資本主義社会システムの変動は、資本主義経済の、資本の変動による（付加価値の増減による）。経済の変動の究極の原動力は、人

<table>
<tr><td>A 型
(自然経済)</td><td colspan="4">B 型
(人工経済)</td><td>C 型
(未来経済)</td></tr>
<tr><td>自給自足</td><td colspan="4">他給他足
(資本主義)</td><td>A かつ B=C
(弁証法的止揚)</td></tr>
<tr><td></td><td colspan="4">各論</td><td></td></tr>
<tr><td></td><td>Ⅰ型</td><td>Ⅱ型</td><td>Ⅲ型</td><td>Ⅳ型</td><td></td></tr>
</table>

＊資本主義総論の法則図（各論図も付加した）

力、能力であった。資本が資本のクレブス回路を回転するのは、人力、能力が回転させているということであった。一般的には、資本主義システムの変動の総論は、人力、能力の休まざる追加と蓄積、取捨選択、競争による新規発明等々である。つまり、絶え間のない余剰の生産である。人間の社会自体も、時間軸でみれば、絶えざる変動なのだ、といえる。

まずは上掲「資本主義総論の法則図」を見ていただきたい。B型は、資本の動的平衡論＝資本主義の一般的法則を表示しているという意味である。

資本主義の変動の総論という場合には、A型―B型―C型の関係を見ることになる。すなわち、AからBへの変動、BからCへの変動の全体を見ることになるのである。A型は、資本主義以前の自然型スタイル（生業時代）であり、C型は、資本主義以後のスタイルである（未来には未知数が多いが、自然の復活か＝A＋B＝自然と人工との弁証法的止揚か？と推理することは可能かもしらない）。このように、Aとの比較で、またCとの比較ではじめて、Bの全体の変動が理解できるのである。

そこで、AからBへは、どのようにして変動したのかを見ればよい。

また、BからCへは、どのようにして変動するのかを見ればよい。この変動が、資本主義変動の総論である。

都市出現の根拠　――余剰の発生――

AからBへの変動を、説明しよう。Aは自然型経済（生業時代）であり、BはAの否定形（二重否定の一回目の否定）であり、人工型経済（産業時代）である（自然・対・人工の構図）。単純にいえば、自然から人工へ、の変動だということである。これが、人間社会の大きな歴史的変質になる。それは、従来の自給自足の自然型条件を排除した人工社会だ、という意味である（ベーコンの経験論を想起せよ）。人工社会は、自給自足（生業型）社会を否定して排除し、他給他足（産業型）社会＝商品の等価交換をする社会のことである。たとえば、トヨタ自動車の社長が、何十万台もの自動車を生産するのは、自給自足のためではなく、他人に供給すること＝他給他足のために生産しているのである。

資本主義直前の、自然型経済・社会の姿は、典型的な事例で見ると、農業経済・農村社会である。注意していえば、本来の農業は自然に即した農業（自然の中の農業＝生業）である、と定義しておこう。守田志郎は、生産と生活との一致形態、といった。家計簿一種類あれば足り、農業簿記は不要だといった。それに対して資本主義内の農業は、人工型の、産業としての農業だという意味である。第一次産業ないしはビジネス農業のことである。守田志郎は、生産と生活との分裂形態といった。産業型農業は、生活＝家計簿とは別に、事業＝「農業簿記」が必要になったという。ビジネスであるから、倒産することもある。生業では倒産概念はない。

生業では、「多品種少量生産」が原理原則である。ビジネス農業なら、自動車生産と同じく、同一製品の大量生産、大量販売となるのである。一品種大量生産が原理原則である。たとえば、キャベツの一品種（キャベツ専業）、大量生産、大量販売など。群馬県嬬恋村のキャベツ畑を見ればよい。また、コメの専業農家を見ればよい。これはもう、ビジネス・産業なのである。生業と産業は、そういう違いがある。

余剰が生じる農業とは、①コムギ栽培農業と、②コメ栽培農業の二種類のことである。この二種類を主穀といい、その他の穀物は雑穀という。この主穀栽培地域で、穀物の余剰が根拠となって、都市＝人工型社会が形成されたのである。続いて、この都市の都市人間が資本主義＝人工経済システムを発明したのである。社会の生産力に余剰がなければ、社会は変動しないのである。

コムギ栽培の発祥は、メソポタミア地域である（チグリス、ユーフラテス川の中、下流地域。都市化はシュメール人による。ナイル川の下流域だと見る説もある。世界のコムギ博士といわれた木原均はメソポタミアのコムギを指摘している）。コメ栽培の発祥は、中国長江の中、下流域（ジャポニカ種）と、ガンジス川流域（インデカ種）である。以上の三か所に、まずは、B型のI型都市ができたのである（中国では、黄河流域が文明の発祥だとされてきたが、最近の長江流域発掘調査――日中合同調査・梅原猛団長――では、長江文明発祥を主張している。武漢市近郊で、環濠都市跡が発見されたこと、コメ栽培地域であることが、都市化の理由だ。黄河流域では、コメは栽培できなかった。雑穀のアワ文化なのだ。長江流域からコメが輸入されると、黄河文明が目を覚ますのだ。中国政府は現在でも、在来説を変更していない）。

なぜ、主穀栽培地域に都市ができたのか。その理由は、主穀を栽培すると、余剰が生じることである。つまり、余剰米、余剰コムギが生じるのである。雑穀では、余剰の保証がない。余剰というのは、たとえば、一〇人の村で、一〇人全員が主穀を栽培したら、一三人分の収穫が安定して上がった、ということである。三人分の収穫が、余剰米、余剰コムギである。翌年では、七人が働けば、村の一〇人分の収穫が得られるのである。ここに、翌年から農作業をしなくてもよい三人が浮上する。この三人が、余剰人口となるのである。余剰生産量＝余剰人口量という関係になる。

余剰人口は、自分の村を出て、農地を新規に開発して、新規の村を作る（村の増加）。新規の開発可能地がなくなってくると、余剰人口は村から追い出される。彼らは、村の外に出て暮らすことになる。この余剰人口が、生活自活者＝自由主義者＝都市形成者になるのである。農村・農業システムからの解放者である。だから、食料以外のものを生産するしかない。これが、自然からの脱出＝最初の人工社会の事例である。

だから、都市には本来の農民（生業者）がゼロなのである。結局、余剰人口＝都市人間は、まずは、物作り人間＝職人となる（食料＝自然以外の生産者となる）。製品は、まずは農民の食料と交換し、また、製品が自家消費分を越えて、安定して生産できるようになると、その製品の余剰分は職人相互が交換をし合ったり（分業の出現）、都市人間の消費物資となる。生産物は、まずは「おれの物」である。ここに、私的所有が控えているのである。商品の私的性質、オール・オア・ナッシングの論理の発生が、目にも見えてくる（資本主義の芽生え）。

こうして、物々交換から、商品交換に転換するのである。都市人口が増加してくると、生産物の交換専門者＝商人が出てくる。生産者自身が同時に販売者である段階を越えて、販売専門の商人が出現する。生産者は、販売を商人に任せることになる。だから、都市は、本来的に、「商品生産（職人）・交換（商人）」の経済社会になるのである。職人の思考力と技術力の向上により、生産物の余剰を確かにするのである（余剰＝付加価値を確実にしていく）。都市社会においては、商品交換のルール（法律）化、法治国家化が行われ、一定の制度が確立する。こうして、資本主義の輪郭が決まるのである。だから私は、資本主義は、たとえ幼稚であるとしても、I型時代（従来は、古代という）に出現したというのである。

都市の基本的性格は、ウェーバーにならっていえば、テンニースのいう利益社会（ゲゼルシャフト）である。その経済システムが資本主義である。ゲゼルシャフトが全社会的規模で行われるようになると、統治・権力・政治が経済を反映して確立するのである。いわゆる古代（I型）ギリシャでは、まだ人口が少ないので、政治は、直接民主主義＝全員参加の民主主義方式にした（奴隷に対する自由人集団）。ソクラテスが、広場に全員を集め、直接民主主義を取り仕切っていたのではないだろうか。ここにすでに、国民国家ができ上っているのである（すでに触れたが、ギリシャ市民とかローマ市民＝自由人は、たくさんいた非自由人＝奴隷集団に対応している）。

都市は国家を必要とする

ここで、もう一歩踏み込んで見よう。都市人間は資本主義経済を発明した。もう一つ、国家も発明したのである（いわゆる古代では、「都市国家」と一語で表現することもある。日本なら、奈良朝が最初の都市国家である）。国家の機能は、権力的に統治することである（ゲバルト・武力も伴う公権力の出現）。

古代資本主義になったとき、都市は自律システムであるが、都市のままでは自律にも限界があり、国家が要請され、国家を作るのである。国家は、資本主義を制度として、国民に強制する政治システムである。都市人間は、職人、商人のように、「自律型」人間である。自律型には、自由が前提となる。私的所有者が私的所有者であるためには、すべての自由人の個人に「自由、独立、対等・平等」を保証しなければならないのだ（自由人の同一性）。これを保証しなければ、そもそも資本を動かすことができないからである。

この自由は、理想的なものでもあり、厄介なものでもある。厄介な側面は、各人の利害損得が衝突することである。自由の名において、あるいは悪意で、契約違反、窃盗、強盗、詐欺、脅迫、暴力、殺人などが生じるのである。また、周辺諸国との間には戦争が絶えなかった。一言したように、戦争に負けると、敗戦国の国民はすべて勝利国の奴隷になる。敗戦国の職人も商人もすべてが奴隷にされる。資本主義は戦勝国にだけ存在するのである。敗戦国になると、自律性がなくなる、これが、自律の限界である。

そこで、都市＝個人主義・個人次元（レベル）の自由な解決に任せておくと、暴力あるいは戦争で解決する悪人が出てくるのである。戦勝国内でも違法行為に関しては、個人次元では平和的な解決は不可能となる。そういうわけで、個人次元を超えて睨みの利く、第三の（上位の）「強制力」が必要になる。この第三の強制力が、国家権力（ゲバルト。死刑のように意図的に、正当に人間の生命を奪う力）である。こうしてまずは、古代ギリシャで見られるような、国民国家（ただし自由人だけの直接民主主義）の統治制度ができたのである。国民国家・直接民主主義は、全員一致・賛成が原理、原則である。

時代が流れるのにつれて、資本家は資本の独占へ（競争の勝利へ）、政治家なら権力の独裁へと進むのである（絶対を求める。ここで、キリスト教が出現してからは、人間の絶対を抑制する。キリスト教の理性的有効性）。また、ポピュレーションの増加に伴って、間接的民主主義が発明されるのである。これは、多数決原理ともいわれているが、多数決は原理ではなく、「やむを得ない」方式なのである。経済の運用ならば、時間をかけて全員一致を求めてもよいのである。しかし、戦争状態では、時間をかけて議論などやっている暇はない。政治的には一刻も早く、攻撃、防衛の決定を出さなければならない。

だから、「やむを得ない」として、多数決決定をするのである。多数決を「原理」だと理解してしまうと、権力の独占と、独裁行動が正当化されるのである。中国や北朝鮮がこのタイプだ。常に国会議員の全員が賛成するやり方だ。反対者は一人もいないのだ。反対する人はあらかじめ排除されている方式である。トランプ大統領のアメリカ・ファースト、東京・ファーストなどファースト思考は中国や北朝鮮方式に流れやすい。現在では、ポピュリズムなどといわれている。この状態は、私なら「必要悪」（悪しき全体主義）というのである。

日本の派閥という伝統には、はじめから民主制度の性質はないのだから、全員一致も、多数決もないのである。明治以後、統治制度としては欧米方式を導入したのだから、欧米式の多数決は、形式民主主義として実施される。しかし、実質的にはお上が采配を振るう。形式民主制は、お上の独裁を覆い隠すベールに過ぎないという結果になるのである。多数決の名において、「お上共同体」の、お上の意思がまかり通るのである。

養老なら日本の社会の実質は、「資格社会」といい、私は「お上共同体社会」というのである。日本の選挙や統治は、形式上「やむを得ない」ものという形なのである。この欧米のマネをした民主制があるのに、実質的には「お上共同体」を生かしたいから（存続したいから）、具体的な政治行動の場では、強力な派閥は、できる限り上手に民主制を骨抜きにするのである（政府に逆らう学者が排除される）。そのためには、「解釈でどうにでもなる」という優れた解釈能力が必要になるのである。解釈の下手な人材なら、日本では、トップを走る政治家にはなれないのである（優れた解釈は、ウソでも何でもよいのだ）。同じく、トップを走る法学者、裁判官、検察官、弁護士にはなれないのである。

都市は機能的に変動する

都市が機能的に変動するのは、そうさせる原動力があるためなのである。その原動力が資本である（都市と資本主義は二つにして一つである）。

初歩的な都市なら職人町であるが、徐々に生産量が増えてくると、人、物、金の動きが拡大する。初期の時代では、地域外からの戦争、略奪があったので、都市を城壁で囲み、専門の兵士が必要になり、リーダーとしての国王も出現する。こうして、都市人間は、①職人、商人、②兵士、③国王というように、三種類の身分に分裂する。①の経済人間と、②の軍人と、③の政治家（権力）との機能型社会ができあがるのである。古代型の国家は、戦うこと、戦争が主要な目標であった。戦争機能型国家である。だから、資本主義らしさは、とても目では見えなかったのである（奴隷がたくさんいるのも、資本主義らしさがない)。女の奴隷は、全裸のまま売春婦として、大通りで堂々と売りに出されているのである(自由人は金さえあれば、誰でも購入でき、購入すれば買春業の事業者になれた)。

何がどうなっているかは、とても分かりにくい社会だった。現在から見たら、古代ギリシャ・ローマ時代は、めちゃくちゃな社会だと見えてくるのである。

地中海沿岸諸国は、都市国家が確立する前から、海上交易が行われていたので、見かけ上は、職人都市よりも商人都市が目についていた。地中海沿岸交易＝商業は、都市出現以前からあった。最初は①生産と、②商業貿易・販売とは、直接に結びつきがなく、別々であった。資本主義になると、生産と販売が結合する。①自分の生産した商品は自分で販売する(生産と販売が直結している)。②生産量が増加してくると、販売専門の商人が出現する。つまり、生産者と商人とがシステムとして分裂しながらも結合しているのである。こうして資本主義が完成していくのである。

この①②③のどの身分の人たちが、余剰を生み出すのだろうか。社会の発展は、余剰なしには実現しない。いわずもがなで、①の職人・商人が、資本主義経済システムを形成し発展させるのである。なぜなら、彼らが資本を回転させる主体だからである。この発展は、生産の技術力水準を反映している。国家形態も文化様式もみな、生産力と対応しているのである。生産力の余剰の程度が、兵士数の増加、兵器の増加、権力の強大化を保証するのである。

ヨーロッパはみな、経済的、軍事的、政治的の機能型社会・国家を一貫して、推し進めていった。中国も、インドも、同じである。日本は例外で、機能型社会は作らなかった。「お上共同体社会」を作った（日本独自の機能型といえばいえる）。これを養老なら、「資格社会」とか「世間」というのである。

日本の都市は、例外型ないし特殊型である。外国では、農民は城壁の外に置かれ、主穀の生産や管理は農民自身が自由にやっていた。特に主穀がコムギだという点が、農民の「自由」を保証していたのだ。コムギ栽培は天水に任せるから、個別農家は自分の都合のよいところに住宅を建てた（散村型農村）。だから、集村型村落はつくらなかった。コメ栽培では、用水路の建設で集団奉仕が必要であり、用水のきめ細かい配分の都合で小規模の集村型村落を不可避としたのである（江戸時代なら世界で一つだけの特殊型だ。西欧の分類にはあてはまらない）。

日本では、主穀の生産も管理も、豪族とか天皇（集村型組織のボス）が独占していたのである（東南アジアでもコメ栽培ならみな、大地主〈ボス〉と小作の関係になっている）。奈良朝が出現するとき、まずは奈良平野で、初瀬川の水をコントロールしなければならなかった（古島敏雄の研究を参照）。コントロールに合わせて大々的に農地を形成するのだが、これには天皇が総指揮を振るったのである。奈良朝は、農業も都市形成も、天皇が主導したのである（他民族による攻撃もないから、都市を囲む城壁も必要がなかった）。鎌倉時代からは将軍が出現し、農業、商工業、市場作りは、将軍が主導したのである。これは「楽市楽座」のように、戦国時代の終了まで続いた。江戸時代は貨幣ではなくコメを給与としたので、江戸時代が終わるまで、資本主義という機能型都市ができなかったのである（これでは、ヨーロッパのように、古代、中世、近代という分類はできないのだ）。

奈良朝や平安朝の都市作りには、長安城のマネをした（条里制、律令制など）。まねをしたのだが、その運用は「お上共同体」のお上が運用した。ここに、「和魂漢・洋才」（「和魂」＝お上の意思。奈良、平安は「和魂漢才」、明治からは「和魂洋才」だった）が持続しており、今でもこの基本は生きているのである。だから、輸入の制度上の形式（律令制という制度）と、その実質的運用の精神＝「お上の意思」とが合致しなかった（お上の意思は漢の皇帝の意思に従って運営することはしなかった。天皇の意思で運営した）。現在でも、日本社会の基本は、変化していない。お上＝首相や社長の共同体のままである。アメリカと同盟を組んでいるのに、アメリカの民主制度は身についていない。

たとえば、「いくら法律があろうとも（法律があるのは、日本も先進国並み）、解釈でどうにでもなる（日本独自の、お上の精神・心を貫くことができる）」というわけである。

以上で、AからBへの変動が、わかったことであろう。日本の都市＝資本主義の特殊性＝運用の特殊性もわかったことであろう。日本では、和魂の論理は不変的であり、変化するのは洋才の部分で、それは技術力のことである。だから日本は、技術立国なのである。お上共同体では、特に、科学理論創造には関心が薄く、セオリーはいまだに輸入に依存しているのである。「洋才」というのは、「洋才依存症」のことなのである。和魂の「魂」が創造的な科学魂となる時代は、いつ到来するのであろうか（現在のアメリカ留学者も森鴎外方式だから、科学魂などは期待すべくもない）。

つぎに、BからCへの変動を見ておこう（B型内の自己発展の姿は、I型からIV型の各論で扱う）。注意する点は、Cは未来型社会であり、未来の都市はその時になって見なければわからないという未知の部分がある、ということである。私は、現在は、III型の、従来で言う近代型＝機械工業型資本主義が発展の役割を終えつつあり、代わって登場するのが、IV型のＡＩ型資本主義だと予測しているのである（構造転換と見てよいだろう）。ＡＩ型資本主義の到来なら、現在、予測ができる。しかし、ＡＩ型資本主義がいつ終了するかは、とても予測がつかないのではないかと、思っているのである。だから、Cへの変動＝資本主義消滅後の姿は、言うは易いが、見極めるのは困難である。

理論的に見れば、余剰＝付加価値の生産が資本主義を発展させてきたので、この付加価値生産の担い手の変更とか、付加価値が生じなくなることが、資本主義の消滅を導くことであろう。ＡＩ型資本主義は、それまでの付加価値生産の担い手が変わるだけなのである。機械工業型資本の担い手が、ＡＩ型資本の担い手に取って代わられるのである。その限りＡＩ型は、資本主義の延長である。

その後、ＡＩ型資本主義での付加価値がうまく手に入らなくなると（資本が「資本のクレブス回路」を回転しなくなると）、完全に資本主義が消滅し、新規にポスト資本主義Ｃへと変動することは考えられるのである（このように言うことだけなら、簡単である）。一般的には、以上のように説明はできても、具体的なＣはまだ予測はできない、というしかないだろうと思うのである。

ＡＩ型資本主義が頂点に達し、やがて衰退するようになるまでの間に、自然がどのように変質させられるかが、一つの重要な問題になるであろう。いわゆる自然破壊がどこまで進むかということである。養老は、資源ならやがて尽きてしまう。そのときに、自然の何たるかが課題になるだろうという。資源を食い尽くしてしまえば、社会も終わりであろう。それに気がついたときは、すでに遅し、となる。今から、自然問題とは何かを考えておかなければならないのである。養老は、そういうことを、政治問題だという。政治家は、今から本気で自然問題、環境問題に取り組め、と養老は指摘する。おそらくＡＩ時代が本格化するころには、多くの人が、自然問題を口にするようになることであろう、と推測している（川柳雑誌の中には、「さんまを食べたら、プラスチックの味がした」といった趣旨のものがかなり見られるようになった）。遅きに失しないことが、肝要であるのだ（転ばぬ先の杖をつけ、なのだ）。

資本主義の変動　――各論編――

各論という性格は、総論＝一般論の範囲以内で、そのときそのときの目に見える具体的な、資本の回転現象を指している。各論での具体的な、現実の社会は、固定しつつ変動するということである。たとえば、I型（従来の「古代型」に大体は似ている）の資本主義では、I型の「資本の動的平衡」＝法則がしばらくの間は通用する（I型の制度として固定）。I型の資本は、四、五百年間は、I型水準の回路を回転する。その間、付加価値は上昇を続けているので余剰が蓄積して、やがてI型水準、制度の枠を超えようとするのである＝変動。こうして、I型の動的平衡は消滅して、II型の資本の動的平衡スタイルが出現する。II型資本主義は、典型では、手工業となる（工業的性質が加わる）。ここに、I型からII型へと各論の歴史が変動するのである。

次は、II型からIII型への変動である。手工業（発展すると、工場制手工業となる）では、原材料や燃料の消費量が増大する。すでにI型都市建設のために、燃料として木材をずいぶんと消費してきた（料理用、暖房用に比べて、レンガ用の燃料、鉄処理用の燃料が大量に必要だった）。木材を早く消費した国から順番に、石のビルディングに変わっていく。中国は秦の始皇帝の時代になると、南部地域の征服で国土面積が急激に広くなり、大量のレンガ用、鉄製用の木材燃料が手に入った。それでも、I型時代の間に、大方消費し尽くしてしまった（万里の長城建設のレンガ用の燃料など）。華北地域、黄河流域の木材はもうない。そうすると、南方地域の木材（クスノキが代表種）が消費されていく（I型時代に大量に消費された森林は、第二次大戦後、日中国交回復によってようやく、日本のジャイカが植林事業に協力して、回復し始めた）。

世界は、燃料革命を待ち望んでいたのである。燃料革命は、石炭使用のことである。木材がなくなり石炭に依存しなければならなくなった段階で、II型時代は終わり、近代に入るのである。すなわち、資本は、大型の機械・重工業型（III型時代）の動的平衡を回転するようになるのである。このスタートを、通常は、産業革命と呼んでいるのである。ここに各論は、II型からIII型へと、歴史が動いたというのである（最も燃料不足に悩んでいたイギリスが、石炭使用に踏み切った）。

イギリスが石炭を使い、蒸気機関を開発すると、世界の工場といわれるようになった。しかし、「霧のロンドン」といわれるように、排気ガスに悩むと、イギリスは工場を外国に移し（アメリカは喜んで、工業化を推し進め、ヨーロッパ大陸も工業化が進む）、工業中心から金融中心に国家の方向転換を図って、成功した。イギリスの産業革命（一八〇〇年代初頭）以後今日までの二百年間は、イギリスとアメリカのリードにより、世界の資本の動的平衡は持続してきたのである。

しかし、大型の機械工業型（III型。いわゆる近代型）は、付加価値の増大に陰りが見えてきた（生産過剰など）。そこで、大型機械をオートメーション化して、人件費を減らすと同時に、新規の資本形成が必要になった（構造転換）。この保証に名乗り出たのが、ＡＩ機器分野である。最優秀な人間の頭脳力を機械に置き換えられるならば、ＡＩ機器が人間をうまく代理してくれる。そこで、ＡＩ時代到来、という声が大きく聞こえるようになったのである。ここに、III型からIV型へと、歴史が変動しつつあるのである。偶然というべきか、必然というべきか、コロナウイルス事件でオンラインを進めるＡＩ化が加速している。今はウイルスのためであるが、オンラインが常態になれば、時代がIV型へと変わるのである（拙著『人材革命』〈社会評論社〉を参照してほしい）。

ＡＩ化時代は資本主義を延命することになるが、しかし、いいことばかりではない。これまでになかった多様な事件もまた発生することであろう。ますます詐欺類が蔓延するだろう。情報言語が二進法であるから、善用する場合も悪用する場合も、同一言語を使っている。だから、詐欺集団を排除することは言語原理的にできないのだ。セキュリティの確実な保障などはない。

ＡＩ時代の盛況期では、現在のスマホの受動的な利用者は（一般的には文系人間は）脱落していくことであろう（社会淘汰）。コンピューターやスマホのシステムやメカニズムを一応知っている理系的な素養のある人たちが、詐欺にあうこともなく、事業へとうまく活用する、そういう時代になるのである。詐欺のレベルならまだよいが、敵視国同士が情報システムを破壊し合うようになれば、セキュリティもクソもない。これが一番の問題点であろう。大雑把ではあるが、Ｉ型からⅣ型への、各論の変動を描くことができたであろう。

私は法則図のように、資本主義の各論の型（パターン）は四種類ある、という見かたをしているのである。この四パターンの分類（情報）は、経済学者も社会科学者も明示していないであろう。四パターンとは、Ｉ型の資本主義（道具を介した手作り型）、Ⅱ型の資本主義（手工業型）、Ⅲ型の資本主義（大型の機械・重工業型）、Ⅳ型の資本主義（ＡＩ型）の四種類である。これは、社会の構成要素を「経済」という視点で見ていた場合である。

もう一つの資本の回転の原動力は、戦争である。古代から現在にいたるまで、一貫して経済を、政治を刺激し続けてきた要因は、戦争であった。国家は、戦争のために科学技術の進歩を推し進め、この科学技術力をまた、民間にも活用させるのである。科学技術の最先端は、軍事力に捧げるものである（核兵器とロケット。最近では、オーロラのような磁力線を使う兵器も研究されているという）。もしも世界に戦争がなかったならば、これほどに科学技術の発展は必要がない。人工衛星の飛び交う宇宙で、人工衛星がゴミ化し、ゴミ処理もしなければならないほどに人工衛星を飛ばしているのも、つまるところは戦争のためである。古代ギリシャ・ローマの時代から、戦争のための国作りが、大きな目標になっていた。資本主義システムの本質は、①金もうけシステムと、②戦争システムだったのではないかと、私はこの二点に絞り込んでいるのである。

金もうけと戦争との、資本主義における内在的な関係は、兵器メーカー（売り手）と国家（買い手）が兵器商品の等価交換をしていれば、民間企業はゼロでも、資本主義は維持できるという関係である。国民はすべて、兵器メーカーで働くことになる。私が生まれ育った町（当時人口二万人ほど）では、第二次大戦中は、すべての町工場が兵器部品の生産をしていた（町ぐるみ兵器の部品生産）。私は、町の全員が兵器メーカーで働くという実際を、見聞して育ったのである（敗戦と同時に、町はＧＨＱの管理に入ったのだが）。

軍需生産方式でも、資本主義で行けるのである。

ＡＩ時代は、資本主義の本質＝①金もうけと、②兵器メーカーとの延長であるのか、そうではないのかを、試されることになるだろう。ＡＩ機器の行き着くところまで行くと、ＡＩ文明の良し悪しは、説明しなくてもどういうものかがわかることであろう（だいたい二〇五〇年以後のころにはよくわかるだろう）。また、ＡＩ機器（人工知脳）と本物の人間の頭脳との、明確な違いも分かることであろう。今その違いを指摘しておくならば、ＡＩ機器には生命がなく（人工）、人間には生命がある、ということである。生命があるということはどういうことであるのかを、この際、よく考えて見ることになるだろう（生態系の問題である。ＡＩ機器には、生態系はない。養老は、ロボットは、人間がスイッチを入れたり切ったりするが、人間にはいったん生命が生じると死ぬまでスイッチが止まらないという。またロボットは、みずからは子孫を産まないだろう）。そこから、ＡＩ機器が進めば進むほど、いやでも応でも、生物、人間の生態系＝自然問題＝環境問題を考えろと、迫るのではないかと思っているのである（ＡＩ問題については、養老著『ＡＩの壁』が出た〈ＰＨＰ新書、二〇二〇年〉）。

第八章　歴史とは何か

事実史と情報史との統一性

歴史を情報科学の視点から見れば、二種類がある。①は、事実としての歴史＝自然史＝万物変動史である。②は、社会（人工）の変動史である。

歴史と聞けば、普通には、日本史とか世界史といった歴史を想起する。物語のように語られる歴史（フォークロア、民話など）もあれば、また、歴史書、歴史論文、歴史小説など、思考の内容が外化された、表現された、記録された歴史がある。専門家の歴史学は、通常は、②の各国史と世界史という歴史情報学のことである。

すでに触れてきたが①の場合には、万物それ自体は一瞬たりとも静止することなく「動く」ものであるから、脳はそれ自体を認識することができない。だから、脳の変換操作により、情報化、法則化して認識しているのである（自然の情報化という）。そうすると、自然の流転する万物の歴史も、脳がデジタル変換しているので、結局、①の事実としての歴史も、②の歴史情報学となるのである。たとえば、地球が出現してからの歴史＝「五〇億年の地史」は、地球情報史学だということになる。

情報史の内容を整理すると、①自然の情報史と、②社会の情報史との二種類があることになる。①の自然の情報史は、生物史と無生物史となる（身体システム史＝細胞の実体史と、地球上の物質や天体物質などの実体史）。また、②の社会の情報史は、人間の社会情報史となる。①②とは、情報史学として統一して理解することができる。

種社会（今西）と脳化社会（養老）との違い

問題は、生物史である。生物には、脳を持たない＝心・思考のない生物がたくさんいる。しかしながら、生物には「種（スペシース）」という単位がある。この種が進化してくると、「脳」を持つ生物が出てくる（哺乳類と鳥類。進化は「個」次元の問題ではなく、「種」次元の問題だ）。脳があれば、人間の仲間とも見られる。たとえば、サル類が代表的である。脳があるという点で、脳のある生物なら、養老のいう「脳化社会」が認められるのか、どうかが問題になる。哺乳類や鳥類は、人間の脳化社会に比べたら言語機能などがないとしても、それなりの脳化社会を認めてもいいようにも見える（サルの脳化社会、犬の脳化社会、ブタの脳化社会等々）。

ここで、脳化社会を、「人間の脳」だけに絞り込んだ見かたをするのが、養老孟司である。養老なら、社会は人間にしかない、ということになる。言葉を持つ脳化社会（人間）と、言葉を持たない脳化社会（人間以外の、脳を持つ生物）とをはっきりと区別する、といってよいであろう（植物なら、脳化社会はありえない）。養老は、脳化社会の条件は言葉にある、と絞り込んでいるのであろう。この点で、養老とは意見を異にするのが、今西錦司の理論である。

今西理論では、ヒトも含めて全生物には、「種」のまとまりがある。人間のまとまりなら、サピエンス種である。今西は、この「種」概念を、「人間の社会になぞらえて、種の社会」という言葉を創作したのである。従来は単に「サピエンス種」としてきたが、今西は「種＝社会」と考えたから、「サピエンスの種社会」を主張したのである。人間の種社会概念を全生物に一般化して適用すると、全生物は「種社会」という「社会」をもっているということになる。

しかし養老は結論としては、「人間の社会になぞらえるな」というのであろう。「なぞらえることはできない」ということになる。その理由は、情報化社会の条件として、脳の言語機能（「情報科学の二元的原理論」参照）をあげることになる。一般には、言葉は情報交換の手段だ、と認識されている。養老はさらに踏み込んで、言葉は単なる手段ではない、というのである。言葉を使わなければ、思考自体ができないし、言葉は社会自体を成立させるのである（脳化社会）。だから、種社会概念は、生物生態学上の概念＝自然科学上の概念としてなら、養老もとやかくいうことはないが、しかし、養老は、人間の情報化社会と、全生物を包括する種社会との同一性は認めない（人間以外では、人間のような脳化社会を持たないということだ）。ここでは、養老理論に従っておくことにする。

日常性と非日常性と

養老が面白いことを記しているので、エピソードとして取り上げておきたい。歴史書には、戦争というできごとが大変に多く記録されている。戦争記録が多いとはいえ、年がら年中、何百年、何千年と一日も休まず戦争をしていたわけではないのだが、時々生じる戦争でも大きなできごとだから、必ず記録される。そこで、記録された歴史書（情報）だけを見ると（年表や歴史教科書）、あたかも年がら年中戦争をしていたかのような歴史書ができ上ってしまうのだ、という。戦争と戦争との間には、重要でないできごとがたくさん挟まっているのであるが、それは記録されない（歴史の記録の仕方が問題点だ）。

たとえば、庶民の生活では、同じような日常性を繰り返しているから、ニュースにはならず、できごととしては日本史でも、世界史でもほとんど記録されない。つまり、国民史は事実史としてあるのだが情報化されず、歴史書としてはほとんどないのである。日本では、「ハレ（祭り事）」と「ケ（日常性）」を区別する習慣があった。その習慣には戦争概念はないので、「ハレ」も「ケ」も、地域史、フォークロア、風土記とか民話などになる。「日本史」には出てこない。中国では、何でもかんでも記録するというクセがある。だから、司馬遷の記録では、歴史書にしては庶民のようすもわかるのである。

養老の視点では、できごとはできるだけ起こらないほうがよいという。いいかえれば、歴史記録のないほうが、平和な生活ができている証拠だというわけである。現在の世界は、できごとが多すぎるであろう。つまり、平和な時代ではないだろう、ということになるのである（養老『いちばん大事なこと』の中の「なにも起こらないことは素晴らしい」（三六頁）以下では、かなり詳しく説明をしている）。時間軸で見ると、非日常性（戦争）よりも、日常性（普通の生活）の時間の方が長いのである。しかしこれまでの歴史記録は、非日常性を多く取り上げているのである。専門家の歴史に関する考えかたについては、考え直すべきではないかと思われる。

情報史にはウソ等がある

注意するべき点は、歴史的一回性として生じた歴史的事実にはウソはないのであるが、歴史書には、しばしばウソとか誤記憶、誤記録があるのである。政治でも企業でも、情報の秘密性が保証されている。このことから、真意を探るために余談、想像、思惑が働いてしまい、ウソの情報が流れることになる。また、意図的にウソの情報を流したりする。

情報化の問題は、自然科学の世界にもある。たとえば、歴史的一回性として具体的に生じた、事実としての生物進化は、まさに自然史の本性を示しているのであるが、専門家による進化論の研究・発表は、研究者の情報であるために、ウソとか間違いをしばしば伴うのである。進化論研究者の多くは、歴史的一回性・大法則性にはほとんど関心をもってはいない。だから、相変わらず繰り返し生じるという小法則だけを求めている。この小法則発見の格好の材料が遺伝子だったのである。たちまちブームになった。

そこで、遺伝子の法則性だけを科学的記録＝自然科学史書に残していくのである。最近では、分類学や生態学あるいは人類学などの分野は人気がない（直接付加価値に結びつかない、儲からない分野だからであろう）。そういうことだから、いつまでたっても、歴史的一回性＝事実としての進化現象＝大前提かつ大原理の議論がないではないかという批判に見舞われているのである。個別科学、特に儲かる分野だけに研究が集中してくると、科学の本質を見るならば、やがて個別科学自体が衰退していくかも知れないと、養老は危惧している。個別科学は、細分化すればするほど迷路に入っていくのである。

決定的な進化論批判は、世界で二つだけある。一つは、早くに今西錦司が批判した。つぎに、養老孟司が批判した。この二人の批判の視点は、共通して進化の事実は歴史的一回性現象だという点である（大前提）。そこで、進化論は、自然の歴史的一回性＝大前提の情報化論だ＝大原理・大法則だと主張したのである（すでに説明済みだが）。たとえば今西は、進化論は生物学（実験学。小原理）ではなく、自然の歴史学にならざるを得ないと主張した（大前提・大原理の指摘）。全生物の万物流転史を歴史情報学に置き換えることなのだ。養老はそれに賛同しつつ、かつ、遺伝子進化論者の理論は遺伝子情報（DNA）の進化論であるから間違いだといった。DNAといえども情報であるのだから、情報自体には変化・進化はないのだというのである。変化を起こすのは、遺伝子を含んでいる細胞なのである（進化は種のシステムの課題だ）。

DNAは変化しやすいという点があるのは、専門家ならみな認めている。それは、塩基配列が変化しやすいということである。変化しやすいDNAの変化の中には「間違って変化したものがかなりある」（アトランダムの変化、という）ので、細胞は変化を抑えたり、間違いを修復する機能を持っている。細胞も遺伝子も、基本的に現状維持なのである（変化を避ける。サピエンスはすでに一〇万年以上生存してきた。個々の身体にはＤＮＡの変化はたくさん起きているが、いまだにサピエンスは進化していない）。

しかし、細胞に、ないし生物の身体にエネルギーの余剰が生じると、変化・進化を起こすのである。この進化に合わせて、新規にＤＮＡができあがるのである。ＤＮＡが変化しやすいといっても、進化は決してＤＮＡのアトランダムな変化によるものではないのである（進化はそれなりに理由がある。進化はデタラメではないのだ）。ＤＮＡが進化の決め手になることはないのである。

進化の根拠は、細胞内のＲＮＡの機能が握っているといったほうがよいのである。多くの進化論者は、ＤＮＡが実体なのか、情報なのかの違いに、気が付いていないということであった（ＤＮＡとＲＮＡとの関係については、拙著『総合科学論入門』〈講談社〉で取り上げておいた）。

以上により、歴史を思考するときには、人間の社会史は当然だとしても、自然の、わけても生物の進化史と、無生物の変化史も忘れてはいけないのである。それが、脳科学・情報科学による総合化の道でもある。

第九章

世界史情報化の視点

―年表作りについて―

歴史作成者とその意図

ここでは、歴史年表の作成を事例として、考えていくことにしたい。大学の受験生が一所懸命に覚えようとしている世界史については、小説には作者がいるのと同じく、世界史作成にも「作成者」というものがいるのである。高校生にはまず、誰が、どのような考えかたで歴史を作成したのかを、授業ではっきりと教えたほうがよい。この点を、問題として取り上げていこう（ここでの問題点は重要なので、説明を若干多くした）。

私は、『中世とは何か』（J・ル＝コブ著、池田健二、菅沼潤共訳。藤原書店、二〇〇五年）を参考にして見たのである。一々引用はしないで、私なりに要点をつかむようにして、説明をすることにする。

J・ル＝コブは、世界史は歴史学者が作ったという。歴史事実は、万人の生活の営み、足跡である。その営み、足跡を見て、どのような視点から世界史を作るかは、万人の仕事ではなく、歴史学者の仕事であった。現在の世界史の教科書は、一九世紀のヨーロッパの歴史学者たちが、作成したのである。自分たちの考えているような価値観・世界観によって世界史を作りたいということであった、というわけである（このヨーロッパ人の世界観が今や旧式となり、新規の世界観を構築し、頭の切り替えをせよ、という時代が到来している）。

それでは、世界史作成者たちの価値観とは何かを見ておこう。普通には世界史と呼んではいるが、その実質はヨーロッパ史のことだというのである。世界史作成者は、古代（Ｉ型）から現在までを、「ヨーロッパ精神史」として一貫しているという歴史記録を作りたかったのだ、というのである。「ヨーロッパ精神史」というのは、進歩史観のことである。ヨーロッパ精神には、「進歩が、理性が、比類なき知があった」と、自画自賛するのである。ヨーロッパ人は一貫して、古代から現在まで進歩を実現してきたという点がポイントである（「文明論」が議論されたのは、近代になってからだという）。

だから、例えば一般に産業革命以後を近代というのであるが、その近代のスタートは古代に始まっていたというわけである。古代ギリシャ、ローマがスタートラインである。そのように見ると、近代性はすでに古代において芽を出していた（開始していた）と見るのである。これで、ヨーロッパ精神の実質が見えてきたのである。古代も近代も進歩史としては、「質」的な違いは何もない。そういうわけで、古代のつぎが近代だという主張者もいたのである。『ヨーロッパ精神史入門』（坂部恵、岩波書店）によれば、クルティウスという歴史家が、古代、中世、近代という三分法ではなく、古代と近代という二分法を主張したと指摘する（いわゆる中世は、近代に含めてしまうのだ）。

ここで、おもしろい資料があるので、紹介する。『一般経済史』（河崎信樹、奥和義編著。ミネルヴァ書房。二〇一八年）の「第一部、経済史学の方法」の「表3－1　ブラウトのヨーロッパ中心主義者のチェックリスト」（五〇頁）である。中心主義者は、八人があげられている。それは、M・ヴェーバー、L・ホワイト、R・ブレナー、E・ジョーンズ、M・マン、J・ホール、J・ダイアモンド、D・ランデスの八人である。チェックリストには、「ヨーロッパの優位要因」として、三〇項目があげられている。三〇項目の内、八人の意見が一致した項目は、四項目がある。その四項目をあげて見よう。一二番の「創造性が豊かであった」、一四番の「改良を好ましいとする環境があった」、一五番の「ヨーロッパだけが科学的思考を獲得した」、二一番の「ヨーロッパは古代から市場の制度を発展させていた」の四項目である。

今から見るとその八人は、情報科学とか、動的平衡論とか、総合思考とか、世界のイニシアチブの奪い合いとか、その他歴史の変動を予測しないで（将来、ヨーロッパ中心主義が否定されることなどは予測しないで)、ヨーロッパ中心に思考していたのである。八人はようするに、未来がいかにわからなかったかを物語っている(その点では、マックス・ウェーバーも例外ではない。現在の学者も同じく、百年先のことは具体的にはわからないだろう)。特に一五番の「ヨーロッパだけが科学思考を獲得した」が、今では養老孟司によって否定されたことなど、空想さえできなかったことであろう。

ヨーロッパ中心主義を越えたと胸を張ったプラグマティズムのアメリカが、今度は、アメリカ中心主義の地位を喪失していく順番なのである。欧米の二千年間は、そのように経過するのである。寺島実郎のいうように、日本が「自存自立の道」を進めば、これからは日本の時代も夢ではないであろう。

百年後の人たちは、現在の経済学者たちが百年後について、空想さえできなかったと驚いているかも知らない。現在の経済学者たちがいかに目先主義であったかを、笑っているかも知らない。要点は、個別科学からもの・ことを見ているかぎり、百年後のことはわかるはずがない、ということである。

それに対して「人間の普遍性」に視点を置いた情報科学、脳論は「人間の普遍性追求」のゆえに、百年後も通用しているのではないかと、私は想像するのである。万物流転しつつも、「普遍性」は「不変的に通用している」と思うのである。個別科学の内容は、この普遍性をベースにおいて、普遍性を判定基準として研究していけばよくなるのである。

いわゆる中世の扱いかた

残念ながら、四七六（西ローマ帝国滅亡）〜一四五三年（東ローマ帝国滅亡）の九七七年間は、ヨーロッパ精神が乱れたと捉えるのである。この九七七年間を、一般には中世と呼んでいるのである。歴史作成者は、中世とは言わないで、「中間期」というらしい。すなわち、ヨーロッパ精神が発展する途中に＝中間に、変な時代が挟まった、ヨーロッパ精神を妨害する時代が挟まった、というわけである。何とかして中間期を除去し、再びヨーロッパ精神を取り戻そうということである。これがルネッサンスである。一四五三年〜一八〇六年（一八〇六年は神聖ローマ帝国滅亡）の三四三年間が近世となる。一八〇六年から近代となる（ちなみに、一七六五年、ワットの蒸気機関＝産業革命開始の指標。一八一四年、スチヴンソン蒸気機関車の完成などが、近代文明の目印と見られている）。

そこで、中世に毒されていなかった正常な時代を、古代と呼ぶのである。古代は良かった、というわけである。また一刻も早く中世を乗り越えようということで、中世の終わり＝近世のはじめを、はっきりと区切ろうということで、その境目を一四五三年と決めたのである。古代と近代とは共通して、一貫して正常なヨーロッパ精神が示されたというわけである。世界史作成者たちは、そのように考えて、現在でも通用している世界史を作成したのである（学校の授業で学ぶ世界史は、ヨーロッパ史だということになる）。

いわゆる世界史とは

そういうわけで、世界史の実質はヨーロッパ史なのである。そこで、ヨーロッパ史を越えて、アメリカ、アジアも南米もアフリカも含めて世界史と呼ぶようになったのは、ヨーロッパ精神がすぐれているものであり、アジア、アフリカの未開や封建主義を教化して、ヨーロッパ並みになることを目指したためである。一口に言ってしまえば、世界をヨーロッパ化することが、世界史作成者の意図だったというわけである。これが、彼らの世界観である。

もしも世界の各国や地域の実情、在りかた（個別性・差異性）を認めるならば、ヨーロッパ精神で世界を覆うような世界史発想はできなかったことになる。現在の世界史では、中国史も、日本史も、アジア諸国史も、ヨーロッパ精神史によって書き変えられたのである。古代、中世（中間）、近代というように、ヨーロッパ思考の用語を使って時代分けをするのが、その一つの証拠である。日本史の場合にも、古代、中世、近代という時代分けをしなければならなくなった。日本史を、ヨーロッパ史の表記に服従させるのである。だから、日本の古代はいつから開始したのかとか、日本の中世はいつから開始したのかとか、日本の近代はいつから開始したのかというわけで、新たな「区切り視点」によって、ヨーロッパ史風に書き直さなければならなかったのである。

現在はアメリカを基準に世界は動いている。アメリカのプラグマティズム哲学では、アメリカはヨーロッパ精神史を超えたとして、ヨーロッパを見捨てるという挙に出て、アメリカ＝強者の世界史を作っているのである（こういうことは、M・ウエーバーなどヨーロッパ中心主義者は予測ができなかった）。これまでの世界史は、ヨーロッパも含めて世界の中の強者が作るもの、という姿がはっきりと見えてきたことであろう（各国の固有の歴史・文化は排除されていく）。

文科省学校では、強者の作る世界史を小学生から大学生にまで、教えてきたでのである。明治以後今日まで、ヨーロッパ精神史を、喜んでマネをしてきたのではないだろうか（追いつけ、追い越せという）。ここから、欧米崇拝が開始したといってもよい（奈良、平安時代は中国の、明治から戦前はドイツの、戦後はアメリカのマネをしてきたのである。独自の日本史部分〈武家、将軍、封建時代〉については、拙著『総合科学論入門』〈講談社〉で取り上げておいた)。

世界史について、『歴史とは何か』(岡田英弘。文春新書、二〇〇一年)も参考にあげておきたい。私の、この本書の第八章「歴史とは何か」と同じ題名である。だから、いろいろと参考にして見たのである。

岡田の歴史の定義は、つぎの四点を前提とする。すなわち、①直進する時間の観念、②時間を管理する技術、③文字、④因果律の観念の四点を前提条件とする(前掲一六頁)、と。この四点から見ると、歴史の定義は、「歴史とは、人間の住む世界を、時間と空間の両方の軸に沿って、それも一個人が直接体験できる範囲を超えた尺度で、把握し、解釈し、理解し、説明し、叙述する営みのことである」(前掲一〇頁)となる(ヨーロッパ史とは違う思考法だ)。

時間軸、空間軸に着目しているのは、肯定できる。ところが、すぐそのあとには、「人類の発生以前の地球の歴史」などは、「地球や宇宙を人間になぞらえて、人間ならば歴史に当たるだろうというものを、比喩として「歴史」とよんでいるだけで、こういうものは、本来の歴史ではない」(前掲一〇頁)という。また、この定義から、「歴史のない文明」の国があるという。たとえば、インド文明、イスラム文明、中国文明(「温故而知新」の「古＝理想」の箇所で指摘しておいたが)、アメリカ文明を指摘している。さらに、世界史のスタートは、ジンギスカンが東西を結合したことだとする。

私のいう歴史観は、岡田論の時間論、空間論を一応肯定している。違いをあげれば、何といっても岡田論は、自然史を否定している。私のいう歴史観は、①自然は生活の場所であること（空間軸。岡田は、岡田の定義の中に、「人間の住む世界」の歴史だといっている。「人間の住む世界」は、人間社会だけではなく、自然環境も住む場所であることに気がついていない）、また、②人間の身体自体は自然そのものであること（岡田のいうように、自然は歴史にならないとすると、自然の身体を持つ人間は歴史を持たないということになりかねない）、③自然史は人間の脳の中にあること（脳論＝脳の情報科学）の三点で、私は、生物史、地史なども含めて自然史を肯定するのである。

歴史は、人間の生きかたの遷移である。生きていく場合には、経済が不可避であるという点で、能力・人力・資本の「動的平衡」論を取り上げたのである。私は、歴史の叙述は動的平衡史だ、としているのである。だから、歴史を持たない人類は存在しない、という結論になる。岡田は、「歴史のない文明の例」をあげていた。しかし私の定義（養老のいう「動的平衡」論だが）から見れば、「生きていること自体が歴史性を含んでいるのである」ということになる。だから結果としては、岡田論を否定するしかない（岡田は、歴史作成の視野が狭すぎる。それは、脳論・情報科学を知らないためである。自然・対象をどう見るか、という自分の側の視点、自己を知れ、といった視点がない)。

もう一点付け加えるならば、岡田は、時代区分は「古代」と「現代」との二区分法をとる。ようするに、古代という言葉は「過去一般」という意味である。現代という言葉は「今一般」という意味である。岡田は、「歴史のない文明」のアメリカは「現在と未来にしか関心がない」(前掲二四頁)という(過去には関心がないということ)。だから、岡田の二区分法の「今」の中には「現在」だけではなく「未来」も含んでいるように見える。ともかく岡田の歴史観には独自の発想が見られて、参考になった。参考にはなったが、岡田論を導入するということではない。

日本史や中国史の場合

日本史ならば、中国の「春秋戦国時代」という「戦国時代」の用語を、むりやり日本史に持ち込んでいるように思われる。別に、室町時代後半~徳川政権の始まりの時代(別名は、下克上の時代)だけが戦争をしていたわけではない。なぜ、その時代だけが戦国時代なのかについては特に理由はなく、中国史に合わせたからであろう。もしかすると、中国史も日本史も、ヨーロッパ精神史家の思惑かも知らない(アジアを十把ひとからげにして、ヨーロッパ史に整合させること）。結果的には、中国も日本も、ヨーロッパの進歩史観をモデルにしたのである（鄧小平の市場経済の承認は、欧米の資本主義の導入だ）。

日本では、①和魂漢才（奈良、平安）、②和魂洋才（明治から）といって、いつも外国のマネをしてきた。和魂和才の時代は一度もなかった。あえていえば、鎖国時代は外国との交流が限られていたから、和魂和才とならざるを得なかったともいえる。実際に、能力者が何人も出現した。たとえば、和算の発明は、代表的である（ヨーロッパは、欧魂欧才であり、欧魂和才、あるいは、欧魂漢才＝日本人の、あるいは、中国人の才能導入の時代はなかった。欧米が「名実論争」（孔子・公孫竜思想、老荘思想）を導入していれば、欧米はずっと早期に情報科学に目覚めることができたと思われるのである）。

和魂というものは、いつも外を見て、外にはいいものがある、羨ましいというように、「和魂＝島国根性」そのものだったのではないのか、と私は思っている。沖縄には、外からやってくる幸福の神を待つ習慣があるとか、仏教は外からやってくるし、浄土は西方にあるというように、和魂の元は、外に向いていた。大和魂は、そういう意味では、島国根性、劣等感の裏返しであろう。いってみれば、空元気《から》なのであろう。太平洋戦争の軍部を見れば、そう思わざるを得ない（日露戦争の勝利で大変に意気が高揚したのだが、勝利の決め手はイギリス軍部のアドバイスにあったのであり、日本人の戦略能力ではなかった。しかし日本人は、自分たちの能力が優れているものと、誤解していたのだ。この誤解に気がつかなかった点で、第二次大戦ではすっかりボロが出たのである）。

私の歴史年表の作りかた

ここで私は、「強者が世界史を作成する」方式ないし価値観を、排除したいのである。世界史・年表作成では、世界で共通する統一基準を設定しなければならないと考えるのである。それは、「動的平衡」論である。だから、「動的平衡」論をもって、年表を作るのがよいと考えるのである。そうすると、タテ軸を「動的・時間軸」とし、ヨコ軸を「平衡・空間軸」とする、歴史年表の基本図式ができあがる（「歴史年表の作り方」の図を参照）。タテ軸の「動的」は、経済であり、資本であり、生産力である（時間概念が必要だ）。ヨコ軸は、「平衡」であり、もろもろの制度（政治制度、経済制度、社会制度、文化的諸制度等々）である。

生物が生きているということ自体が経済であるので、経済をタテ軸にするのである。「生きている」という点では、万人に例外はない。生きているから経済・資本は存在し変動する（動論）。これが私の言う、世界史作成の統一基準である。このようにすれば、世界のすべての国が、統一基準（動的平衡）で歴史記録を作成することができるであろう。まずは、各国史ができあがる。あえて世界で一つの歴史＝世界史は、現在の段階では作らなくてもよい。なぜなら、世界のグローバル化が不十分だからである。脳化社会＝万人の言葉が全部翻訳可能となれば、世界がグローバル化し、実質的に世界が一つになる。ここではじめて、「世界史」を作ればよいだろう。現在までのグローバル観念は、市場による経済グローバル化の意味である。この点で、グローバル化の主導者はアメリカだということである。具体的には、ドルによるグローバル化である。円や元では、グローバル性がない。

各国によって、年代や進歩程度、あるいは価値観には違いは見られても、中性（ニュートラル）の統一基準で作成しているのだから、どこの国でも文句は出ないであろうし、各国史で各国を比較してみることも容易にできるのである。

欧米の進歩史観は偏りである

ヨーロッパ人の進歩史観は、進歩に「偏り」、「進歩中毒」をしている。人間科学で見れば、世界の人間は共通して「普遍性」を備えているのである。ヨーロッパ人の進歩史観は、人間の普遍性の「実」に相当するのだろうか。ヨーロッパ人の進歩の意味は、ベーコンに見られたように自然を支配する思考に現れていた（自然と人工との分裂開始）。自然を支配する技術が、あれこれと研究されてきて、とりあえず技術が成功して、自然は人間の思うようにコントロールされてきた。それがさらに突き進んで、アメリカのプラグマ思考に見られたように、心（意識、人工）が優先して、身体（自然）は置き忘れられていた。自然の置き忘れが、自然破壊とか温暖化という目にも見える形で、今では目の前に出現したのである。これが、エントロピーといわれる状況である。進歩史観には、エントロピーの理解がなかったのである。ここに、進歩史観の偏りの欠点が認識されるのである（進歩はいいことばかりではない、という点に気づけ。進歩した分だけゴミが出るのだ。しかしゴミ処理には気がついていなかった）。

自然を忘れた意識、人工優先思考は、「ああすれば、こうなる」（養老の言葉）という計算合理的な、意識優先の思考のことである。それは、シミュレーション思考といわれているものである。現在のシミュレーション思考は、資本主義文明にとって都合の悪い部分は対象外、思考外として、排除されるのである。人工型文明にとって都合の良いことだけを追い求めていくのである（無方向性）。都合の悪いことは無視して、研究もしないのである。この都合の悪い部分は、変動してやまない自然部分である（養老は、身近な自然の点では「生、老、病、死」の四点を挙げている。この四点は、人が嫌うものだという。つまり、避けたがるものであるという)。自然の生態系も都合が悪い部類であろう。だから、生態系研究は、いくら研究しても儲からないし、都合のいい部分ではないから置き忘れられていくのである。都市部だけが発展し地方・田舎が見捨てられるのも、同じ思考である。

人工文明＝自然破壊文明や温暖化文明を徹底して克服するための、場合によっては、資本主義を禁止するためのシミュレーションを研究することは、なぜやらないのか。もしも研究する人が出てくれば、現在の国家政府からは、たちまち当然のこととして、研究費の保証がなくなることであろう。研究費欲しさについつい政府の思考枠の中に安住していくのである。

ここに、人工と自然との葛藤があるのである。私は、自然受容のために、人工に対して、政府に対して葛藤すべき時代だと思っているのである。現在の政府・政治に対して葛藤する学者がどんどん出現することを望んでいるのである。

資本主義の歴史年表の作りかた

歴史年表の作成は、次頁の図式による。タテ軸には「動的」を取り、ヨコ軸には「平

＊世界統一基準による歴史年表図

	平衡（社会制度—政治、経済、社会、文化等々）		
動的資本　生産力	Ⅰ型	道具・手作り	政治、経済、社会、文化、戦争、国民生活の諸制度
	Ⅱ型	手工業	政治、経済、社会、文化、戦争、国民生活の諸制度
	Ⅲ型	機械工業	政治、経済、社会、文化、戦争、国民生活の諸制度
	Ⅳ型	人工知能	政治、経済、社会、文化、戦争、国民生活の諸制度
	C	未来型	

衡」を取る（タテ軸に「平衡」を取れば、ヨコ軸は「動的」となる。どちらでもよい）。従来の古代という表現を、私はⅠ型とした。ヨーロッパ精神史では、古代も近代も同質だというのであれば、古代と近代との区別はできない。しかし、生産力のレベルが違うので、私は古代をⅠ型とし、近代をⅢ型として区別する。Ⅰ型とⅢ型と分けることで、生産力レベルの違いを明確にした。なお、第七章「資本主義総論の法則図」を参照してほしい。

＊おわりに　―生態系の復権―

前文では、世界観の転換のすすめを指摘しておいた。ここでは、世界観の転換の具体的な突破口として、生態系の復権を指摘しておきたいのである。

かりに生態系が復権したと仮定すれば、二千年以上に及んだ資本主義システムは根本から修正されなければならなくなるのである。たとえば、東京都といった大都会は廃棄処分されることも視野に入ってくるのである。つまり、一極集中はご法度だということになるのである。これは一例であるが、生態系の復権を実現すれば、日本なら列島丸ごと変質することになる。

これまで「列島改造」をほしいままにしてきたために、人間も含めて列島に生活している「生きとし生けるもの」の「棲み分け原理」が破壊されてきたのである。生態系の復権は、「棲み分け」の復元に他ならない。棲み分けが実現しているのであれば、人間も含めてまずは全生物が普通に生きていられるのである――人間だけが特別に生きていてはいけない。普通に生きていられるときに、自然を、生命を尊重しているということになる。

そのように見ると、都会はいかに生きとし生けるものの生命、生活に障害を与えてきたかがわかるであろう（都会は、現在はイルミネーションで沸き上がっているが、これは植物の生存には大変な障害物である）。隈研吾のいう「箱文明の終わりか」は、一般的に言えば、生態系の破壊に気がついたということに他ならないのである。

結論はもうお分かりであろう。結論は、資本主義＝都市＝非自然的＝人工的活動は、生態系を保証した場合にだけ許されるのだ、ということである（戦争＝大規模の人殺しなど、もってのほかだ。「国家の正義」などといっている次元の低い話ではないのだ）。

「生態系の復権」が新規の世界観を、根底で支えている事項なのである。平たく言えば、自然を無視、軽視しては、そもそも資本主義自体も立ちゆかなくなる、ということである。

だから万人には、生態系の教育・理解を強制したらよいということになる。私は、小学一年生から高校生までは生態系学習を必須科目とし、大学の教授（準教授でもよい）が出向いて「体験教育」を実行するのがよいと考えるのである（小学生で一年間、中学生も一年間は、自然のある地方に「強制的に内地留学」させるのがよい）。教授は大学に潜伏していないで、小中学生に実地教育をしたらよいだろう。

これを実行すれば、現実に、世界観の転換の第一歩は踏み出せるのである。

最後になって恐縮であるが、松田健二社長からは快く出版を引き受けていただいた。板垣誠一郎さんからは、表現方法や文献の正確な表示など、事細かに目を通していただいた。心から感謝申し上げます。

著者

著者紹介

荒木弘文

あらき ひろふみ　1939年生まれ。1963年、新潟大学人文学部社会科学科卒業。1971年、中央大学大学院博士課程法学研究科満期退学。1995年より、中国山東理工大学教授、中国吉林大学北東アジア研究院客員研究員、中国武漢大学国家招聘教授などを歴任。帰国後は、総合思考アドバイザーとして活動している。

著書に、『中国三千年の裏技』（社会評論社）『総合科学論入門―自然と人工の統一』（講談社）『人材革命　AI時代の資本の原理と人間の原理と』（社会評論社）などがある。

万人が使える科学の新定義

世界観転換のすすめ

2021年4月10日初版第1刷発行
著　者／荒木弘文
発行者／松田健二
発行所／株式会社　社会評論社
〒113-0033　東京都文京区本郷2-3-10　お茶の水ビル
電話　03（3814）3861　FAX　03（3818）2808
印刷製本／株式会社ミツワ